CW00843120

Dial o'r Diwedd

ANTURIAETHAU TWM SIÔN CATI

T. Llew Jones

Gomer

I Blant Dosbarth 2A Ysgol Uwchradd, Llangefni
a Phlant Dosbarth 2B Ysgol Uwchradd,
Castellnewydd Emlyn (am ysgrifennu llythyr)

Cyhoeddwyd gyntaf yn 1968 gan
Wasg Gomer, Llandysul, Ceredigion, SA44 4JL
www.gomer.co.uk

Argraffiad newydd – 2015

ISBN 978 1 84851 837 7

Argraffwyd a rhwymwyd yng Nghymru gan
Wasg Gomer, Llandysul, Ceredigion.

Pennod 1

Oddweud yn blwmp ac yn blaen, ar y dechrau fel hyn, mai Syr Tomos Llwyd, Ffynnon Bedr oedd un o'r dihirod pennaf sydd wedi byw yn sir Aberteifi erioed, fyddai llawer o neb yn anghytuno â mi. A gan fod y gŵr bonheddig, twyllodrus a chreulon hwnnw'n mynd i chwarae rhan bwysig yn ein stori, gwaetha'r modd – gwell i mi ei gyflwyno i chi ar unwaith.

Roedd Syr Tomos wedi codi o'i wely'n gynharach nag arfer ac yn eistedd nawr wrth un o ffenesti llofft y plas gan edrych lawr dros ddolydd glas dyffryn Teifi. Yn y pellter gallai weld yr afon loyw'n treiglo trwy'r gwastadedd.

Daeth hanner gwên falch i'w wyneb cuchiog. Fe oedd perchen yr holl dir da y gallai weld o'i flaen, heblaw am un cae sgwâr ar lan yr afon. Ac wrth i lygaid Syr Tomos grwydro i gyfeiriad y cae hwnnw nawr, diflannodd y wên o'i wyneb. Roedd y cae yma wedi bod yn ddraenen yng nghroen Syr Tomos ers sawl blwyddyn. Ceisiodd ei brynu droeon, a cheisiodd ei ddwyn fwy nag unwaith. Ond doedd dim gwg na gwên, bygythiad nac addewid yn helpu dim – roedd perchen y cae – Siôn Morys, Cwmbychan, yn ddyn mor benderfynol ag yntau. Roedd Siôn Morys yn meddwl y byd o'r cae hwnnw ar lan yr afon. Roedd wedi bod yn eiddo i'w dad o'i flaen, ac roedd yn benderfynol y byddai'n mynd i'w fab, Arthur, ar ô lei ddydd e.

Ac wrth i Syr Tomos syllu i lawr ar y cae sgwâr y bore hwnnw, roedd yn edrych yn fwy glas na'i holl gaeau mawr ei hun.

Estynnodd ei law a thynnodd raff y gloch. Cyn hir roedd sŵn traed ysgafn i'w clywed ar y grisiau, a daeth morwyn fach tua phymtheg oed i mewn. Am funud, ddywedodd Syr Tomos yr un gair, dim ond edrych arni a'i lygaid pŵl. Dechreuodd y ferch anesmwytho.

'Syr?'

'Wil Gruffydd, y stiward!' gwaeddodd Syr Tomos yn uchel. 'Rwy am 'i weld ar unwaith!'

Bowiodd y ferch iddo ac aeth ar frys i lawr y grisiau.

Cyn hir roedd sŵn traed trymach i'w clywed ar y grisiau a daeth dyn tal, main i mewn i'r stafell.

'Wel?' meddai Syr Tomos.

'Mae Siôn Morys yn gwrthod dod nes bydd e wedi gorffen â'i waith heno.

'Felly wir! Wnest ti gynnig yr arian iddo?'

'Do,' meddai'r stiward, 'ond gwrthod yn bendant wnaeth e.'

'O'r gore. Rwy'n mynd i roi un cynnig arall iddo werthu'r cae heno, ac os bydd e'n dal yn styfnig, fe fydda i'n neud iddo fe. Mae fy amynedd i wedi gorffen. Pwy mae e'n feddwl yw e? Y?'

Roedd wyneb Syr Tomos yn goch.

'Ond beth allwn ni neud?'

'Rwyt ti'n gofyn i mi beth allwn ni neud? I beth ydw i'n dy dalu di, dwed? Ti ddyle fod yn dweud wrtha i beth i'w neud. Ond gad di'r mater i fi; fe ddangosa i i'r ffŵl na all e ddim herio Sgweier Ffynnon Bedr.'

Dechreuodd y stiward symund yn anesmwyth yn ei gadair. Roedd e'n gwybod fod Syr Tomos yn gallu bod yn fileinig pan fyddai yn un o'i ffitiau o dymer ddrwg, fel roedd e'r funud honno.

'Oes rhywbeth y galla i 'i neud i helpu?' gofynnodd er mwyn dweud rhywbeth, er ei fod yn dyheu am gael gadael y stafell.

'Dim. Fe ofala i am bopeth fel rwy wedi arfer gwneud.'

Cododd Syr Tomos o'i gadair ac aeth at ddesg fawr yng nghornel y stafell. Tynnodd fap go fawr allan ohoni a'i osod ar y bwrdd.

'Wyt ti wedi gweld hwn o'r blaen?'

Cododd y stiward a daeth i edrych dros ei ysgwydd.

'Wrth gwrs, syr – map o'r stad.'

Am eiliad edrychodd y ddau ar y map heb ddweud dim. Roedd yr afon Teifi'n rhedeg trwy ei ganol ac yma a thraw roedd enwau'r pentrefi, y tyddynnod a'r ffermydd. Yng nghornel ucha'r map roedd Tregaron – ac yn y gornel isa – pentre Llandysul. O gwmpas tre Llanbed yn y canol, roedd darn helaeth o'r map wedi'i liwio'n goch. Hwnnw oedd stad Syr Tomos Llwyd, Ffynnon Bedr, a doedd dim angen awdurdod ar fapiau i ddeall fod y sgweier yn berchen llawer iawn o dir. Ond yng nghanol y coch roedd un darn gwyn. Hwnnw oedd cae Siôn Morys.

Meddyliodd Syr Tomos fod y darn hwnnw yng nghanol y coch yn edrych fel twll mewn darn o frethyn da a chostus.

Roedd hi'n wyth o'r gloch bron pan ddaeth y forwyn i stafell Syr Tomos i ddweud wrtho fod Siôn Morys wedi cyrraedd.

'Dewch ag e i mewn,' meddai Syr Tomos yn ddiamynedd. Daeth y forwyn 'nôl cyn hir â dyn tal, tua hanner cant oed yn ei dilyn. Roedd ei wallt trwchus yn britho, ond roedd e'n cerdded a'i gefn yn syth a'i gam yn ysgafn. Edrychodd yn dawel a digynnwrf ar Syr Tomos.

'Eistedd!' meddai hwnnw.

'Na, fe alla i wrando ar yr hyn sy gennych chi i ddweud ar 'y nhraed, Syr Tomos,' atebodd Siôn Morys.

'Felly wir. Rwy'n deall dy fod wedi gwrthod ugain punt am y cae 'na.'

'Dwi ddim yn bwriadu 'i werthu fe am unrhyw arian, Syr Tomos.'

'O nagwyt ti, wir! Rwyt ti'n gwbod yn iawn nad yw'r cae ddim yn werth cymaint â hynna – beth yw'r styfnigrwydd 'ma?'

Edrychodd Siôn Morys i lawr ar y sgweier yn 'i gadair.

'Syr Tomos, beth yw'r trachwant sy arnoch chi? Mae gennych chi gannoedd o erwau o dir; pam na adewch chi i fi gadw'r un cae 'ma? Does dim diddordeb gyda fi yn eich arian chi. Mae'r nefoedd yn gwbod rwy'n ddigon tlawd; ond chewch chi ddim mo'r cae tasech chi'n talu mil o bunne amdano.'

Edrychodd Syr Tomos i fyw llygaid llwyd, tawel y tyddynnwr gan wybod ei fod wedi cwrdd â rhywun a oedd mor benderfynol ag yntau. Cochodd yn sydyn a tharo'r bwrdd â'i ddwrn.

'Fe fyddi di'n difaru am hyn! Rwy wedi penderfynu cael y cae! Nawr gwrando, mi rodda'i bum punt ar hugen i ti'r funud 'ma!'

Syllodd Siôn Morys i lawr arno fel pe bai'n edrych ar rywun a oedd yn gwneud ffŵl ohono'i hunan heb eisiau.

Aeth Syr Tomos yn gacwn gwyllt. Cododd o'i gadair.

'Fe gaf fi'r cae am ddim! Wyt ti'n clywed? Am ddim!'

Roedd e'n gweiddi dros y lle nawr.

'Am ddim!' Roedd ei wyneb yn borffor, ond

roedd Siôn Morys yn sefyll yn hollol ddigyffro ar ganol y llawr o hyd.

Cydiodd Syr Tomos yn wyllt yn rhaff y gloch a'i thynnu. Daeth y forwyn i mewn ar unwaith.

'Dangos y ffordd mas i hwn!' gwaeddodd wrthi.

Roedd cefn Siôn Morys yr un mor syth wrth fynd allan ag oedd pan gerddodd i mewn.

Safodd Syr Tomos ar ei draed am funud, yn edrych ar y drws oedd newydd gau. Yna symudodd at raff y gloch ar y wal a thynnodd hi'n ffyrnig. Roedd y forwyn allan o wynt braidd pan ddaeth hi 'nôl.

'Syr?'

'Anfon Morgan ata'i ar unwaith.'

'O'r gore, syr.'

Rhaid dweud tipyn o hanes y Morgan yma cyn iddo ddod i'r golwg. Roedd Morgan (neu Moc yr Osler) wedi bod yng ngwasanaeth Syr Tomos er pan oedd yn bymtheg oed. Roedd yn ddeunaw oed pan ddigwyddodd damwain i un o ebolion gorau Syr Tomos a oedd dan ei ofal. Roedd Morgan wedi marchogaeth yr ebol ar draws y caeau heb ganiatâd, a phan ddaeth e 'nôl roedd yr ebol yn gloff – wedi cael carreg finiog yn ei garn.

Roedd Syr Tomos yn digwydd bod wrth ymyl y stablau yn ei ddisgwyl. Pan welodd fod y creadur yn gloff fe wylltiodd yn lân.

Fe geisiodd y bachgen ddweud ei bod yn ddrwg ganddo, ond cododd y sgweier ei ffon a'i daro dro ar ôl tro o gwmpas ei ben, nes ei fod yn gorwedd yn ddiymadferth ar y llawr wrth ei draed.

Ar ôl tynnu'r garreg o'r carn roedd yr ebol yn iawn, ond nid felly Morgan. Pan ddaeth at ei hunan o'r diwedd ar ôl bod yn anymwybodol hollol am ddyddiau, roedd wedi colli ei allu i siarad a'r rhan fwyaf o'i synhwyrau.

Roedd wedi bod yn hollol fud byth er hynny, ac yn rhyfedd iawn, yn ufudd i orchymyn lleiaf Syr Tomos. Byddai'n ei ddilyn o gwmpas fel ci, a deallodd y sgweier yn fuan iawn y gallai dyn mud, hanner call fel Morgan fod yn ddefnyddiol iawn iddo. Felly cafodd ei gadw i weithio yn y stablau. Erbyn hyn roedd Morgan yn bump ar hugain oed ac yn ddyn cryf, anferth o fawr.

Clywodd Syr Tomos sŵn ei draed trwm yn dod at y drws.

Daeth Morgan mewn i'r stafell a'i gap yn ei law a'i geg ar agor. Safodd yn llipa o flaen ei feistr â'i freichiau'n hongian. Arhosodd Syr Tomos nes i'r forwyn fynd allan a chau'r drws.

'Mae gen i waith i ti heno, Morgan,' gwaeddodd, gan fod Moc yr Osler yn drwm ei glyw hefyd. 'Rwy am i ti fynd â'r Barwn i lawr i Gwm Bychan a'i glymu yn y beudy yno.'

Hwrdd du, gwerthfawr oedd y Barwn – wedi'i brynu gan Syr Tomos ryw flwyddyn yn gynt, yn Henffordd.

'Yn ddistaw bach, cofia. Gofala na fydd neb yn dy weld, nac yn dy glywed di.'

Roedd poer gwlyb yn rhedeg o enau'r osler. Gwenodd yn blentynnaidd cyn troi am y drws.

'Na, na, Morgan . . . dim eto. Rhaid i ni aros nes bydd Siôn Morys a'i fab wedi mynd i'r gwely.'

Ar ôl i Morgan fynd aeth Syr Tomos i sefyll wrth ffenest fawr y plas gan edrych i lawr ar ddyffryn Teifi. Gwenodd wrtho'i hunan. Roedd e'n gwybod y byddai Morgan yn ddigon cryf i gario'r hwrdd ar ei gefn. Roedd e'n gwybod hefyd na fyddai neb yn well o holi'r osler ar ôl digwyddiadau'r noson honno.

Pennod 2

Wrth gerdded tuag adre trwy'r hanner tywyllwch, doedd Siôn Morys ddim mor dawel ei feddwl. Roedd yn gwybod erbyn hyn fod Syr Tomos yn benderfynol o gael y cae, ac wrth feddwl am yr holl sôn oedd yn mynd o gwmpas am ddrygioni'r sgweier, sylweddolodd ei fod e a'i eiddo mewn perygl. Roedd sôn am rai wedi diflannu am byth, fel pe bai'r ddaear wedi'u llyncu, ar ôl iddyn nhw groesi'r sgweier. Beth am yr holl sibrydion a oedd yn mynd o gwmpas tre Llanbed? Sibrydion yn unig oedden nhw wrth gwrs – fyddai neb yn meiddio codi ei lais i gyhuddo Syr Tomos o ddim – roedd hi'n well dioddef yn dawel na mentro'i wylltio.

Dechreuodd Siôn Morys feddwl am Arthur, ei fab tair ar ddeg oed. A oedd hwnnw hefyd mewn perygl am fod ei dad wedi herio'r sgweier? Doedd ar Siôn Morys ddim ofn yr un dyn byw, ond wrth feddwl am Arthur roedd e'n teimlo braidd yn ansicr.

Beth ddylai wneud? Cael cyngor gan rywun fyddai orau. Pe bai Elin ei wraig yn fyw gallai ymgynghori â hi. Beth fyddai barn Elin tybed?

Ers i'w wraig farw dair blynedd ynghynt, byddai'n arfer gofyn y cwestiwn yna iddo'i hunan yn aml, 'Beth fyddai Elin yn 'i ddweud . . ?' Ond roedd Elin ym mynwent yr eglwys, a Siôn Morys yn gwybod y byddai'n rhaid iddo benderfynu drosto'i hun.

Yna cofiodd eto am y cannoedd aceri o dir da yn stad Syr Tomos a meddyliodd mor annheg oedd hi fod dyn mor gyfoethog yn ceisio'i orfodi e, a oedd mor dlawd, i ymadael â'i ddarn bach o dir. Erbyn iddo gyrraedd y tŷ roedd Siôn Morys mor benderfynol ag erioed nad oedd yn mynd i ildio i Syr Tomos.

Roedd golau yn ffenest Cwmbychan ac roedd Arthur ei fab yn eistedd ar y sgiw wrth y tân.

Edrychodd y bachgen i lygaid ei dad.

'Werthoch chi'r cae i Syr Tomos, 'Nhad?'

'Naddo.'

'Oedd e'n ddig iawn?'

'Oedd, yn ddig iawn. Wel, beth wyt ti wedi bod yn 'i neud er pan es i o 'ma?'

'Rwy wedi bod draw yn y Fron.'

'O, welest ti'r ceffyl newydd?'

'Do. Ew! Mae e'n geffyl da, 'Nhad! Un coch – roedd e'n costio deg punt yn ffair Llanybydder. Mae Bet ni'n edrych fel rhyw hen sgerbwd ar 'i bwys e.'

'Debyg iawn. Fe fydd ynte'n edrych yn dipyn o hen sgerbwd hefyd pan ddaw e i oed Bet. Gyda llaw, wyt ti'n cofio dy fod di'n mynd â hi i'r efail bore fory? Mae wedi colli pedol.'

'Ond mae Bet mor hen ac mor ddioglyd – dwi ddim yn siŵr 'i bod hi'n werth rhoi pedol iddi.'

Chwarddodd Siôn Morys. Roedd y bachgen yn dweud y gwir. Roedd yr hen greadur wedi mynd mor styfnig yn 'i henaint fel nad oedd o fawr werth. Wedi i'w ffrind Guto, mab y Fron, gael y ceffyl coch newydd i edrych ar ei ôl, roedd Siôn Morys yn gwybod fod tipyn bach o eiddigedd yng nghalon Arthur.

'Pe bawn i wedi gwerthu'r cae i Syr Tomos fe allen ninne fforddio prynu ceffyl newydd,' meddai gan edrych ar ei fab.

'Ie,' meddai Arthur.

'Wyt ti eisiau i fi werthu, Arthur?'

Aeth y gegin yn ddistaw am funud.

'Na,' meddai'r bachgen wedyn, 'pe baech chi'n gwerthu'r cae fydde gyda ni ddim digon o waith na digon o borfa i gadw ceffyl.'

Gwenodd Siôn Morys. Roedd ei fab yn deall pethau'n dda iawn er ei fod mor ifanc. Fe fyddai Arthur yn ffermwr da ryw ddiwrnod.

'Wel gad i ni fynd i'r gwely, neu fe fydd yr efail yn llawn cyn i ti gyrra'dd 'na bore fory.'

Arthur ddihunodd gyntaf. Clywodd sŵn dafad yn brefu yn y tywyllwch. Doedd hynny ddim yn rhyfeddod ynddo'i hunan, ond roedd y brefu'n swnio'n agos iawn. Clustfeiniodd. Roedd y sŵn yn dod o gyfeiriad y beudy. Clywodd ei dad yn anesmwytho yn ei ymyl; rhaid fod y sŵn wedi torri ar ei gwsg yntau.

Yna clywodd Arthur sŵn traed trwm yn nesáu at y drws. Erbyn hyn roedd ei dad wedi codi ar ei eistedd yn y gwely.

''Nhad, mae rhywun yn dod at y tŷ! Faint o'r gloch yw hi?'

'Mae'n rhaid 'i bod hi'n hwyr. Mae rhywbeth o le Arthur!'

Roedd llais Siôn Morys yn gras yn y tywyllwch.

Yna daeth curo trwm ar y drws a sŵn lleisiau.

Agorodd Siôn Morys ddrws y stafell wely ac aeth i lawr y grisiau ag Arthur ar ei ôl.

Roed golau'n dod i mewn o dan y drws. Rhaid bod lamp gan bwy bynnag oedd yn aros tu allan.

Agorodd Siôn Morys y drws. Roedd tri dyn tal yn sefyll ar y trothwy – stiward y plas a dau gwnstabl o'r dref.

'Be sy?' gofynnodd Siôn Morys. 'Beth sy'n dod â chi yma'r amser hyn o'r nos?'

Daeth y stiward gam yn nes.

'Mae Syr Tomos wedi colli un o'i hyrddod gore, Siôn Morys, ac mae 'na le i gredu mai chi sy wedi'i ddwyn e.'

Chwarddodd Siôn Morys yn galed.

'Fi wedi'i ddwyn e? Rwy'n ofni i chi gael siwrne ofer gyfeillion, does dim hwrdd yn perthyn i neb 'ma.'

‘Ond ry’n ni wedi ’i glywed e’n brefu yn y beudy,’ meddai’r stiward wedyn.

‘Rwy’n ofni fod eich clustie chi wedi’ch twyllo chi, stiward. Mae’r beudy’n wag.’

‘Ond ’Nhad . . .’ meddai Arthur.

‘Arthur, cer di nôl i’r gwely ’machgen i; mi fydda inne’n dod nawr.’

‘Fe garwn i edrych yn y beudy, Siôn Morys,’ meddai’r stiward.

‘Gyda phleser. Arhoswch i fi gael rhoi nillad amdana i.’

Rhedodd Siôn Morys i fyny’r grisiau ac aeth Arthur ar ei ôl.

‘Glywest ti erioed y fath beth, Arthur! Dwyn hwrdd wir!’

‘Ond, ’Nhad, fe glywes i sŵn brefu funud yn ôl – yn dod o gyfeiriad y beudy.’

Roedd Siôn Morys ar fin gwisgo’i drowsus. Safodd am eiliad ar un goes yn y tywyllwch.

‘Glywest ti sŵn brefu? Dduw Mawr!’ Pwysodd ar bost y gwely.

‘Arthur,’ meddai wedyn, ‘os digwydd rhywbeth i fi heno, rwy am i ti fynd i Dregaron at dy fodryb Cati.’

‘Ond ’Nhad . . .’

‘Na, rhaid i ti beidio dadle â fi nawr, Arthur. Rwy’n meddwl ’mod i’n dechre deall beth mae Syr Tomos yn geisio’i wneud. A hyd nes bydd popeth drosodd rwy am i ti addo i fi nawr y byddi di’n mynd i Fryngłas, Tregaron at dy fodryb. Wyt ti'n addo?'

Yna gwaeddodd y stiward o'r llawr.

'Dewch o 'na Siôn Morys! Allwn ni ddim aros fan hyn drwy'r nos!'

'Arthur wyt ti'n addo?'

'Rwy'n addo, 'Nhad . . . ond . . .' Roedd ei lais yn llawn penbleth.

'Dere nawr, gad i ni fynd,' meddai ei dad gan roi'i law ar ei ysgwydd.

Aeth y ddau i lawr y grisiau. Cyn iddyn nhw gyrraedd y llawr daeth sŵn brefu uchel i'w clustiau.

'Glywest ti! Glywest ti, Siôn Morys?' Yng ngolau'r llusern roedd gwên fileinig ar wyneb main y stiward.

Gwthiodd Siôn Morys heibio iddo ac aeth i gyfeiriad y beudy. Aeth y lleill ar ei ôl ac Arthur yn dilyn o bell.

Pan agorodd Siôn Morys ddrws y beudy gwelodd hwrdd mawr, du wedi'i glymu wrth bost.

'Dyma ti!' meddai'r stiward, 'dyma ti wedi dy brofi'n lleidr.'

Yn sydyn gwylltiodd Siôn Morys. Trodd at y stiward a chyn iddo gael amser i ddweud dim rhagor cydiodd llaw gref y tyddynnwr am ei gorn gwddf. Fe geisiodd wingo ond gwasgodd Siôn Morys e yn erbyn wal y beudy. Cyn iddo golli ei anadl yn llwyr fe lwyddodd i wichian, 'Cydiwch ynddo! Cydiwch ynddo!'

Yr eiliad nesaf roedd y ddau gwnstabl wedi disgyn ar ben Siôn Morys, ond roedd hwnnw wedi colli arno'i hun yn deg erbyn hyn. Gadawodd y stiward yn rhydd a throdd i gwrdd ag ymosodiad y cwnstabliaid. Trawodd un ohonyn nhw yn ei stumog a syrthiodd i'r llawr gan rochian fel mochyn. Ond cydiodd y llall ynddo a syrthiodd y ddau i'r llawr gan rowlio drosodd a throsodd.

'Yn enw'r gyfraith!' gwaeddodd y cwnstabl gan duchan a chwythu.

'Yn enw cyfiawnder!' gwaeddodd Siôn Morys, gan daro'i benlin yn ei stumog. Erbyn hyn roedd y cwnstabl arall wedi cael ei wynt ato, a nawr neidiodd yntau ar ben Siôn Morys. Safodd y stiward i'r ochr â golwg ryfedd ar ei wyneb yng ngolau'r lamp, a oedd nawr ar lawr y beudy. Roedd Arthur yn sefyll yn y drws heb wybod beth i'w wneud. Yn sydyn clywodd ei dad yn gweiddi.

'Arthur! Rhed!'

Safodd y bachgen yn ei unfan.

'Arthur! Rhed!' gwaeddodd ei dad eto.

Trodd Arthur oddi wrth y drws, ond trodd 'nôl wedyn.

'Arthur rwyt ti wedi addo!' gwaeddodd ei dad eto.

Yr eiliad honno neidiodd y stiward at y bachgen a gafael yn ei fraich. Gwingodd Arthur i geisio dianc, ond roedd y stiward yn gryfach nag e. Cododd ei droed a rhoddodd gic i'r stiward yn ei goes a'i holl nerth. Gwaeddodd hwnnw dros y lle i gyd, ond gollyngodd ei afael.

Rhedodd Arthur nawr, fel pe bai ei fywyd yn dibynnu ar hynny.

'Hei! Dere 'nôl y gwalch bach!' gwaeddodd y stiward ar ei ôl. Ond roedd Arthur yn carlamu i fyny'r lôn tua'r ffordd fawr erbyn hyn.

Pennod 3

Roedd Syr Tomos Llwyd yn eistedd wrtho'i hunan yn y plas â gwydraid o win wrth ei ymyl. Roedd y tân bron a diffodd ac roedd traed y sgweier yn oer. Edrychodd ar y cloc. Deng munud i ddau. Roedden nhw'n hir iawn yn dod 'nôl. A oedd rhywbeth wedi digwydd?

Cododd o'i gadair ac aeth i'r ffenest. Tynnodd y llenni trwm 'nôl ac edrychodd allan. Arhosodd yno am yn agos i bum munud cyn gweld golau yn dod yn sigledig i fyny'r ffordd.

'A! O'r diwedd!' meddai, ac aeth 'nôl i eistedd yn ei gadair. Cyn hir clywodd sŵn traed yn nesáu. Aeth allan o'r stafell, a phan gyrhaeddodd y stiward y porth mawr roedd y sgweier yno'n ei ddisgwyl.

'Wel?' gofynnodd. 'Wel?'

'Mae popeth yn iawn, syr,' atebodd y stiward.

'Gawsoch chi'r hwrdd?'

'Do a'r lleidr hefyd, syr.'

Yna daeth y ddau gwnstabl i'r golwg â Siôn Morys rhyngddyn nhw wedi'i glymu â rhaff.

'Dilynnwch fi,' meddai'r sgweier ac aeth i mewn i'r plas. Pan ddaethon nhw i mewn i'r stafell olau trodd y sgweier i edrych ar y cwmni. Roedd llygaid un o'r cwnstabliaid wedi cau ac roedd gan y llall glwyf agored ar ei dalcen a'r gwaed wedi sychu ynddo. Sylwodd Syr Tomos hefyd ar yr ôl bysedd coch ar wddf main y stiward.

Roedd Siôn Morys yn sefyll yn syth ar ganol y llawr. Doedd yntau ddim wedi dod yn ddianaf o'r sgarmes chwaith. Roedd diferyn o waed yn rhedeg o'i geg i lawr dros ei ên i'r llawr. Ond edrychodd yn herfeiddiol ar y sgweier.

Cerddodd y sgweier 'nôl a blaen ar y llawr gan ofalu peidio â mynd yn rhy agos at Siôn Morys chwaith.

'Rwy'n ddiolchgar iawn i chi,' meddai wrth y ddau gwnstabl. 'Fe fydda i'n cofio amdanoch chi eto. Rwy'n falch iawn eich bod chi wedi dod o hyd i'r hwrdd a'r lleidr. Mae'n amlwg i chi gael tipyn o drafferth . . . hym . . . ewch chi lawr i'r gegin nawr; rwy'n meddwl fod 'na rywun ar lawr – i chi gael rhywbeth i'w fwyta . . . ac i yfed.'

'Ond, syr!' meddai'r stiward gan edrych ar Siôn Morys.

Chwarddodd y sgweier.

'Mae e wedi'i glymu'n ddigon saff ond yw e?'

Edrychodd y stiward yn amheus ond gwnaeth Syr Tomos arwydd ar y ddau gwnstabl ac aeth rheini allan. Ar ôl i'r drws gau, trodd Syr Tomos at y tyddynnwr.

'Rwyt ti wedi gweld heno nad yw hi ddim yn

talu i 'nghroesi i. Nawr, 'dyw hi ddim yn rhy ddiweddar i ti newid dy feddwl. Os wyt ti'n fodlon gadel i fi gael y cae bach 'na, yna fe anghofiwn ni i ti ddwyn yr hwrdd.'

Arhosodd am funud i weld effaith y geiriau hyn ar Siôn Morys. Ond er na ddyweddodd hwnnw'r un gair, roedd rhywbeth yn ei lygaid oedd yn gwneud i'r sgweier anesmwytho.

'Rwyt ti'n gwbod yn iawn beth sy'n dy aros di nawr,' meddai hwnnw wedyn. 'Fe fydd rhaid i ti fynd i garchar. Dyna'r gosb am ddwyn . . . dyna'r peth lleia' a all ddigwydd i ti.' Daeth gam yn nes at Siôn Morys wrth ddweud hyn. Yn sydyn plygodd hwnnw ymlaen a phoerodd yn ei wyneb. Neidiodd y sgweier 'nôl a gwelwodd wyneb Wil Gruffydd. Sychodd Syr Tomos y poer â'r brodwaith gwyn wrth ei arddwrn. Roedd ei wyneb yn borffor.

'Dyna hi ar ben arnat ti 'nawr!' gwaeddodd, gan ysgwyd ei ddyrnau ar Siôn Morys.

Pennod 4

Rhedodd Arthur nerth ei draed am amser hir. Aeth trwy dre Llanbed a honno'n dywyll ac mor dawel â'r bedd. Yn y distawrwydd, roedd sŵn ei draed yn atsain trwy'r strydoedd cul. Roedd e'n disgwyl bob munud i rywun neidio allan o'r corneli tywyll i'w rwystro rhag dianc. Dychmygodd bobl a phlant y dre'n troi yn eu gwelyau ac yn deffro wrth ei glywed yn rhedeg heibio. Clustfeiniodd am sŵn traed yn dod ar ei ôl, ond allai e glywed dim ond sŵn caled ei draed ei hun ar y palmant.

Ymhen tipyn daeth at y groesffordd ym mhen pella'r dre. O'r fan honno roedd y ffordd i Dregaron yn arwain i'r dde.

Roedd hi'n dywyll fel bol buwch ac roedd y ffordd yn gul rhwng cloddiau uchel. Cyn hir teimlodd na allai redeg dim rhagor gan fod ei goesau'n boenus ac yn wan fel brwyn.

Arhosodd i wrando. Doedd dim sŵn yn unman ac eithrio cyffro creaduriaid bach y nos yn y cloddiau. Dechreuodd gerdded yn gyflym eto a'i ymennydd yn un cawdel o feddyliau cynhyrfus. Beth oedd yn mynd i ddigwydd i'w dad? A ddylai fynd 'nôl i bledio ar Syr Tomos i'w adael yn rhydd? Na, roedd ei dad wedi dweud wrtho am fynd at ei fodryb Cati i Dregaron.

Yna rhuthrodd llwynog neu fochyn daear, neu ryw greadur o'r un maint, drwy'r clawdd yn ei ymyl a neidiodd ei galon i dwll ei wddf. Dechreuodd redeg eto.

Cerddodd am amser ar hyd y ffordd unig, heb wybod a oedd yn mynd i'r cyfeiriad iawn. Yna fe gododd y lleuad a thaflu'i golau dieithr ar y ffordd. Ar y dechrau roedd e'n falch o'i golau, ond wedi iddi godi'n uwch roedd hi'n taflu cysgodion amheus yma a thraw ar hyd y ffordd, a dechreuodd yntau ddychmygu mai dynion oedd yn llercian yng nghorneli tywyll y ffordd droellog honno.

Daeth at ffermdy tywyll wrth ymyl y ffordd, ag ydlan yn ei ymyl. Bron yn ddiarwybod iddo'i hunan trodd i mewn trwy fwlch yr ydlan a mynd i gyfeiriad y sied wair. Roedd y rhan fwyaf o'r gwair wedi mynd oddi yno, ond roedd digon ar ôl i wneud gwâl weddol esmwyth i deithiwr blinedig.

Yng ngolau'r lleuad gwelodd y bachgen bentwr go lew o wair yng nghanol y sied, ac aeth tuag ato.

Penderfynodd mai'r peth gorau i'w wneud oedd cuddio yn y gwair tan y bore, a cheisio cysgu tipyn. Fyddai'r ffordd i Dregaron ddim mor unig a di-gwmni yng ngolau dydd.

Plygodd i fynd i mewn o dan y gwair. Yr eiliad nesaf cydiodd llaw yn ei arddwrn a'i ddal fel mewn feis. Cododd sgrech i dwll ei wddf ond roedd ei ddychryn mor fawr fel na ddaeth unrhyw sŵn o'i enau. Cododd corff dyn o ganol y gwair. Wyneb barfog crwn a dau lygad yn disgleirio yng ngolau'r lleuad. Ddywedodd y dyn ddim gair am funud, dim ond edrych yn syn ar y bachgen.

Rhaid ei fod wedi gweld y dychryn yn llygaid Arthur; efallai hefyd iddo deimlo'r cryndod yn ei fraich.

'Wel, wel, wel,' meddai o'r diwedd, gan ddangos ei ddannedd. 'Croeso i blas Harri'r Crythor. Do'n i ddim yn disgw'l neb heno, ond mae drws agored gen i bob amser i bawb; unrhyw amser o'r dydd neu'r nos, mae croeso a lle i gysgu.'

Stopiodd yn sydyn a thynnodd y bachgen ato. Yna mewn llais gwahanol gofynnodd, 'Beth wyt ti'n 'neud ffor' hyn? Pwy sy gyda ti?'

Daeth Arthur o hyd i'w dafod o'r diwedd.

'Neb – does neb gyda fi.'

'Celwyddgi!' Gwelodd Arthur lygaid y dyn barfog yn fflachio. 'Wyt ti'n disgw'l i fi gredu fod crwt fel ti mas wrtho'i hunan yr amser 'ma o'r bore? O ble wyt ti wedi dod?'

'O Lanbed.'

'Ro'n i'n meddwl, y gwalch bach â ti!'

Roedd ei lais yn ffyrnig.

Yn sydyn dechreuodd Arthur grio. Roedd profiadau'r noson honno wedi bod yn ormod iddo, a nawr penliniodd yn y gwair wrth i'r dagrau redeg i lawr dros ei ruddiau. Am funud, yr unig sŵn yn y sied wair oedd sŵn ochneidio torcalonnus y bachgen. Yna teimlodd Arthur yr afael ar ei arddwrn yn llacio a braich gryf yn cydio am ei ysgwyddau.

'Wel, wel. Dyw pethe ddim yn dda 'ma, na'dyn – dyw pethe ddim yn dda 'ma. Does dim gwell i ti ddweud wrth yr hen Harri beth sy'n bod?'

Roedd llais y crythor yn dyner iawn nawr, ond ddaeth ddim ateb oddi wrth y bachgen ar ei liniau. Gwasgodd y crythor e'n nes at ei fynwes a daeth aroglau ei ddillad i ffroenau Arthur – aroglau chwys, cwrw a mwg tân coed yn gymysg.

'Be sy wedi digwydd i ti?' Dim ateb.

'Rwyt ti wedi dod o Lanbed – dyna ddwedest ti ontefe? Nawr beth alle fod wedi digwydd yn Llanbed i neud i ti ddianc oddi yno yr amser yma o'r nos? Ydy hi'n bosib fod gan y cythrel 'na, Syr Thomas Llywd, rywbeth i' neud â'r peth?'

Ochneidiodd y bachgen yn ddyfnach.

'A rwy'n iawn, ydw i? Wrth gwrs 'mod i'n iawn. Sgweier Ffynnon Bedr yw gwreiddyn pob drwg sy'n digwydd yn yr ardaloedd 'ma. Myn asgwrn i, mae gan y dihiryn 'na ddigon i roi cyfri amdano! Ac fe fydd rhaid iddo roi cyfri ryw ddiwrnod, gei di weld. Fe ddaw 'na noson fel heno arno ynte, paid di gofidio! Ryw noson dywyll fe fyddan nhw'n ca'l Syr Tomos a chyllell yn 'i galon galed e!'

Roedd llais y crythor mor ddig nes gwneud i Arthur stopio crïo.

Ond mewn eiliad roedd ei lais wedi newid eto.

'Paid â phoeni, does dim angen i ti ddweud dim wrtha i. Gad i ni fynd 'nôl i'r gwair 'ma i geisio cysgu tipyn.'

Gorweddodd y ddau ochr yn ochr o dan y gwair, ond yn lle mynd i gysgu adroddodd Arthur yr hanes i gyd wrtho.

Ar ôl iddo orffen ddywedodd y crythor ddim gair, ond rhoddodd ei fraich yn dyner amdano unwaith eto.

Roedd yna ddistawrwydd hir rhyngddyn nhw ac Arthur yn gwrando ar sŵn y gwynt yn y llwyni ac ar gyffro ambell lygoden yn y gwair. Yna rywbryd cyn y bore syrthiodd i gysgu.

Deffrodd Arthur i sŵn iâr yn clochdar heb fod ymhell oddi wrtho. Roedd yn gyfarwydd â'r sŵn. Roedd wedi'i glywed ganwaith wrth ddeffro yn ei wely gartref yng Nghwmbychan, ac am eiliad meddyliodd mai yno roedd e'r funud honno. Ond teimlodd y gwair yn cosi'i wyneb. Agorodd ei lygaid ac edrychodd o'i gwmpas. Yna daeth y cyfan 'nôl i'w gof.

Gwelodd y crythor yn cerdded oddi wrtho tua chlawdd yr ydlan. Gwelodd yr iâr a oedd yn clochdar yn rhedeg o'r ffordd, a'r crythor yn gwthio'i fraich i mewn i berfedd y clawdd. Tynnodd wy allan, ac un arall, ac un arall. Wedi iddo roi rhyw hanner dwsin o wyau yn ei boced trodd yn ôl at y sied wair. Pan welodd fod Arthur ar ddi-hun gwenodd arno. Yng ngolau dydd roedd y crythor yn edrych yn greadur hynod iawn – yn fwy tebyg i fwgan brain nag i ddyn. Roedd ei wallt du'n hongian yn gudynnau o gwmpas ei wyneb lliw copr. Ar ei gorun roedd hen het dyllog, werdd. Roedd e'n gwisgo rhyw fath o glôs penglin a hosanau uchel, oedd yn dangos ei goesau tenau'n amlwg iawn. Ond o dan ei aeliau trwchus, roedd dau lygad bywiog iawn.

'Bore da, ŵr bonheddig,' meddai gan ymgrymu'n isel o flaen Arthur. 'Ry'ch chi wedi dihuno mewn pryd i gael eich brecwast.' Rhoddodd ei law yn ei boced ac estynnodd wy melyn braf i Arthur. Edrychodd y bachgen yn syn arno, ond cymerodd yr wy. Yna tynnodd y crythor wy arall o'i boced. Am ennyd daliodd e rhwng ei fys a'i fawd, cyn ei roi wrth ei glust a'i ysgwyd.

'A! Wy ffres, braf!' meddai. Yna trawodd yr wy yn erbyn un o byst y sied wair nes bod y plisgyn yn torri. Wedyn cododd ei ben tua'r awyr a rhoi'r wy wrth ei geg. Clywodd Arthur sŵn llyncu uchel, ac roedd cynnwys yr wy wedi diflannu i lawr trwy gorn gwddf y crythor. Gwasgodd hwnnw'r plisgyn gwag yn ei ddwrn.

'A!' meddai. 'Blasus iawn! Does dim byd yn well nag wy bach ffres i frecwast!'

Gyda'r gair tynnodd un arall o'i boced, a diflannodd cynnwys hwnnw hefyd yr un ffordd.

Edrychodd y bachgen yn hir ar yr wy yn ei law. Roedd e'n teimlo'n llwglyd iawn ond allai e ddim meddwl llyncu wy fel y gwnaeth y crythor. Byddai'n codi cyfog arno ar unwaith. Cododd y crythor ei aeliau.

'Dim yn leicio wy heb 'i ferwi? Wel, wel!'

'Dwi ddim eisie bwyd, diolch,' meddai Arthur yn gloff.

'A! O'r gore 'te, fe awn ni ar ein taith. Rhaid i ni gychwyn cyn i'r ffermwr a'i wraig godi – a chyn y daw pobl o Lanbed i edrych amdanon ni.'

Cododd Arthur ar ei draed a cherddodd allan o'r gwair.

'A! Dim bag?' gofynnodd Harri. Ysgydwodd Arthur ei ben.

'Paid â phoeni. Y teithiwr a'r baich ysgafn sy'n cerdded ymhell.' Wrth ddweud hyn rhoddodd y crythor ei law i mewn o dan y gwair a thynnodd allan hen fag aflêr, a rhywbeth arall, wedi'i lapio mewn gwlanen a fu unwaith yn wyn. Sylweddolodd Arthur wrth siâp y pecyn yma mai ffidil y crythor oedd ynddo.

'Y'ch chi . . . y'ch chi'n mynd i gyfeiriad Tregaron?' gofynnodd gan hanner ofni fod y crythor yn bwriadu mynd i gyfeiriad arall.

'Wrth gwrs. Does dim ots gen i i ba gyfeiriad. Mae Harri'r Crythor yn mynd ble myn e, pryd y myn e; a heddi rwy wedi penderfynu mynd i Dregaron.'

Aeth y ddau allan o'r ydlan i'r ffordd. Roedd awel y bore'n oer, ond wedi dechrau cerdded teimlodd Arthur ei waed yn cynhesu'n fuan iawn. Doedd yr haul ddim wedi codi eto, ond roedd mwyalchen gynnar yn canu yn y coed ar fin y ffordd.

'Wyt ti'n cylwed honna!' meddai'r crythor. 'Dyna i ti fiwsig! Rwy'n tynnu fy het i'r fwyalchen, Arthur.' A thynnodd ei het dyllog gyda'r gair. Edrychodd Arthur yn syn arno; doedd e ddim wedi gweld dyn mor hynod â'r crythor erioed.

Cerddodd y ddau am awr a'r crythor yn siarad bron drwy'r amser. Ond tawel iawn oedd Arthur. Roedd ei feddwl e 'nôl yn nhre Llanbed. Yno roedd yntau am fod hefyd – gyda'i dad. Ond roedd wedi addo mynd i Dregaron. Ceisiodd ei gysuro'i hunan fod ei dad wedi dianc neu wedi llwyddo i argyhoeddi Syr Tomos nad fe oedd wedi dwyn yr hwrdd.

Roedd yr haul wedi codi erbyn hyn a dechreuodd Arthur chwysu wrth geisio dilyn y crythor a'i goesau hir, esgyrnog.

'Ew! Mae eisie bwyd arna i!' meddai heb yn wybod iddo'i hunan.

'A!' meddai'r crythor a thynnodd wy allan o'i boced.

Ysgydwodd Arthur ei ben gan wrido. Chwarddodd y crythor.

'O'r gore, fe gei di fwyd. Cyn hir fe fyddwn ni'n dod at fwthyn bach ar fin y ffordd – bwthyn Elen Tŷ Clotas. Rwy'n nabod yr hen wraig yn dda.

❧

Ymhen tipyn daeth y bwthyn i'r golwg. Welodd Arthur erioed hen fwthyn mor dlawd yr olwg. Bwthyn isel iawn oedd e a'r gwyngalch oedd unwaith ar y waliau wedi cwympo bron i gyd. Un ffenest fach oedd yn y golwg a doedd dim gwydr yn honno i gadw'r glaw a'r gwynt allan. Roedd hanner isaf y drws wedi pydru a gallai ci go fawr fynd i mewn drwyddo'n hawdd.

'Hwn yw'r lle?' gofynnodd Arthur.

'Ie, dyma fe,' atebodd y crythor a cherddodd i mewn heb, hyd yn oed, gnocio'r drws. Aeth Arthur ar ei ôl.

'Helô 'ma!' gwaeddodd y crythor wrth gerdded i mewn i'r hanner tywyllwch. Ddaeth ddim ateb.

Sylwodd Arthur fod y tŷ'n llawn mwg, a phan ddaeth ei lygaid yn gyfarwydd â'r tywyllwch, gwelodd hen wraig yn eistedd ar stôl deirtroed wrth dân coed myglyd.

'Sut mae'r hwyl ers llawer dydd, Elen?' gofynnodd y crythor yn ysgafn.

Trodd yr hen wraig ei phen oddi wrth y tân a gwelodd Arthur hen wyneb melyn, rhychiog a thrwyn hir, cam. Gwelodd mai cot fawr a chap dyn oedd amdani, a doedd ganddi ddim sanau am ei choesau na sgidiau am ei thraed. Ond am ei gwddf roedd hen sgarff liwgar a oedd yn edrych fel pe bai wedi bod am wddf rhywun gwell na'i gilydd rywbryd.

Doedd fawr o ddodrefn yn y tŷ – dim bwrdd na gwely na chadair freichiau. Uwchben y tân myglyd roedd crochan bach du, a heb aros am ganiatâd na dim, aeth y crythor at hwnnw a chodi'r caead. Wedi gweld mai tatws oedd yn berwi yn y crochan, winciodd ar Arthur. Yna tynnodd dri wy o'i boced a'u rhoi i mewn yn y crochan. Wedyn rhoddodd y caead yn ôl a throi unwaith eto at yr hen wraig.

'Wel, sut mae'r hwyl 'te, Elen!' gofynnodd wedyn.

'Paid â phoeni amdana i,' meddai'r hen wraig, gan droi ei llygaid miniog ar Arthur. 'Pwy yw hwn sy gyda ti heddi?'

'Bachgen o Lanbed yw hwn, Elen.'

Cododd yr hen wraig o'i stôl ac edrychodd yn fwy cas fyth ar Arthur.

'O Lanbed!' meddai'n isel ond yn fygythiol.

'Nawr, nawr Elen,' meddai'r crythor, 'mae hwn yn ddigon diniwed, alla i roi 'ngair i ti. Mae eisie bwyd arno.'

'Does dim bwyd iddo fe 'ma. Ble wyt ti'n meddwl rwy'n ca'l bwyd, Harri?'

'Yr hen grochan 'na, Elen – mae e'n berwi'n braf fan'na, ac fe ddwedwn i fod tato wedi berwi ac wy bach gystal pryd o fwyd â dim.'

'Wy? Ond does gyda fi ddim wy.'

'Dyna 'nghyfraniad i tuag at y wledd, Elen; rwy newydd roi tri wy bach mewn yn y crochan i ferwi.'

Ysgydwodd yr hen wraig ei phen.

'Doedd pethe ddim yn arfer bod fel hyn. Fe fuodd 'na amser pan na fydde rhaid i neb fynd oddi wrth ein drws ni heb lond bol o fwyd. Ond roedd hynny cyn i'r cythrel 'na yn Ffynnon Bedr . . .'

Stopiodd yr hen wraig yn sydyn ac edrychodd unwaith eto yn amheus ar Arthur.

'Mae hwn wedi diodde hefyd, Elen,' meddai'r crythor yn dawel. Edrychodd yr hen wraig o un i'r llall.

'Dduw Mawr! Hwn hefyd! Does dim diwedd . . . dim diwedd . . .'

'Fe ddaw diwedd, Elen, daw, fe ddaw diwedd ar ddrygioni Sgweier Ffynnon Bedr ryw ddiwrnod.' Roedd llais y crythor yn chwerw.

Chwarddodd yr hen wraig, ac o bob sŵn, hwnnw oedd y mwyaf oeraidd a glywodd Arthur erioed. Roedd yn swnio'n fwy tebyg i grawc brân nag i chwerthin.

'Bob dydd ers ugain mlynedd rwy wedi dymuno melltith ar Sgweier Ffynnon Bedr . . . ond mae e'n fyw ac yn iach heddi i neud rhagor o dwyll a drygioni! Fe ddaw diwedd ddwedest ti? Pryd, Harri? Pryd?'

'Mae pobl wedi diodde gormod, Elen; mae 'na gynllunio yn y dirgel. Ryhw ddiwrnod fe fyddi di'n clywed 'u bod nhw wedi dod o hyd i'r dihiryn â chyllell yn 'i galon e.'

Chwarddodd yr hen wraig eto.

'Pwy sy'n ddigon dewr? Pe bai yna ddigon o nerth yn yr hen freichie 'ma . . .' Cododd yr hen wraig ei breichiau esgyrnog uwch ei phen gan edrych fel rhyw hen eryr yn barod i ddisgyn ar ei brae. Aeth ias trwy gefn Arthur wrth ei gweld.

'Ond rwy wedi mynd yn rhy hen.'

Syrthiodd breichiau'r hen wraig yn araf ac eisteddodd unwaith eto ar y stôl deirtroed.

'Beth mae e wedi'i neud i'r bachgen 'ma?' gofynnodd mewn llais mwy tawel.

Eisteddodd y crythor ar dipyn o wellt yn y gornel wrth y tân a gwnaeth arwydd ar Arthur eistedd ar ben y pentan. Yna dechreuodd adrodd y stori a glywodd gan Arthur yn y gwair y noson cynt.

Tra oedd yn siarad cododd yr hen wraig y crochan oddi ar y tân. Roedd hen gist fawr lydan o dan y ffenest a nawr cododd gaead honno a thynnodd dair powlen bren allan. Wedyn chwiliodd yn hir ym mherfeddion y gist ac o'r diwedd tynnodd allan un fforc, un llwy bren ac un gyllell hir a charn o asgwrn garw iddi. Caeodd glawr y gist a gosododd y llestri truenus hyn ar y gist, gan ddefnyddio'i chaead fel bwrdd. Defnyddiodd y llwy i godi'r tatws o'r crochan, ac wedi edrych yn fanwl daeth o hyd i'r tri wy, a oedd erbyn hyn wedi berwi'n galed.

Roedd yr ychydig datws hynny'n mygu yn

edrych yn hynod o flasus i Arthur. Gwelodd yr hen wraig e'n llygadu'r bwyd, a chyn gynted ag y daeth y crythor i ddiwedd ei stori dywedodd, 'Dewch at eich bwyd – fel y mae e.'

Cododd y crythor ac eisteddodd ar ei fag wrth y gist a daeth yr hen wraig â'i stôl deirtroed i eistedd yn ei ymyl. Eisteddodd Arthur ar gornel y gist a dechreuodd fwyta'n awchus.

'Ac i ble'r wyt ti'n mynd ag e nawr?' gofynnodd Elen i'r crythor.

'Mae gen i fodryb yn Nhregaron,' meddai Arthur a'i geg yn llawn.

Bwytodd y tri'n brysur am dipyn, yna dywedodd yr hen wraig â golwg wyllt yn ei llygaid.

'Rwyt ti'n lwcus! Does gen i neb, na dim ceiniog ar fy enw yn y byd i gyd! Roedd gen i ŵr a dau fachgen cryf, ond ble mae'n nhw heddi? Pwy sy gen i i edrych ar fy ôl i yn fy hen ddyddie?'

Yn sydyn cododd o'i stôl. Yna cydiodd yn y ffiol, a'r bwyd ar hanner ei fwyta a thaflodd y cyfan a'i holl nerth i gornel y gegin. Edrychodd Arthur a'r crythor yn fud arni. Wedyn cydiodd yn ei stôl deirtroed a mynd 'nôl i eistedd wrth y tân. Yno dechreuodd sibrwd wrthi'i hunan yn isel ac yn dorcalonnus.

Pwyntiodd y crythor â'i fys at ei dalcen i ddweud wrth Arthur fod yr hen wraig wedi drysu.

Wedi clirio'i bowlen yn lân tynnodd y crythor ei ffidil allan o'r wlanen lwyd, fawlyd.

Dechreuodd diwnio'r tannau. Cododd yr hen wraig ei phen ac edrychodd yn eiddgar arno. Safodd y crythor ar ganol y llawr pridd a dechreuodd ganu'r ffidil yn araf ac yn ddistaw i ddechrau, yna'n gryfach ac yn fwy bywiog. Sylwodd Arthur fod golau yn llygaid pŵl yr hen wraig, a'i bod yn plygu'i phen ymlaen i wrando ar bob nodyn. Yna torrodd y crythor allan i ganu. Roedd ei lais tenor tenau yn hyfryd i wrando arno.

Pan ddaw mis Mai i'r coed a'r caeau,
I'w gwisgo'n dlws â dail a blodau;
A phan ddaw'r gog i goed yr Hendre,
Fe ddaw fy nghariad innau adre.

Fe ddechreuodd yr hen wraig daro'i throed noeth ar y llawr gyda churiadau'r miwsig. Aeth y crythor ymlaen at gân arall fwy bywiog, a dechreuodd ddawnsio ar y llawr anwastad yn gyflymach ac yn gyflymach o hyd. Gwelodd Arthur yr hen wraig yn dechrau chwifio'i breichiau; roedd yr hen gegin fyglyd yn llawn miwsig a symud. Aeth y tlodi a'r caledi'n angof yn sŵn alaw'r crythor.

Aeth amser heibio, ac o'r diwedd – wedi iddo golli ei wynt yn deg – syrthiodd y crythor ar y gwellt yn ymyl y tân. Llifodd y distawrwydd 'nôl a nawr gallai Arthur glywed sŵn y gwreichion yn tasgu yn y tân.

Yn sydyn cododd yr hen wraig ei phen fel pe

bai'n gwrando. Yna clywodd Arthur y sŵn – sŵn ceffylau yn nesáu o gyfeiriad Llanbed. Rhuthrodd yr hen wraig allan i ben y drws. Mewn winc fe ddaeth 'nôl. Cydiodd mewn ffagl o bren coch o'r tân a rhuthro allan eto. Clywodd Arthur a'r crythor hi'n gweiddi, 'Mae e'n dod! Mae e'n dod!'

Aeth Arthur am y drws ond cydiodd y crythor yn ei fraich a'i dynnu 'nôl.

'Gwell i ti beidio,' meddai, a phwyntiodd at y ffenest. Aeth y ddau at y ffenest i edrych allan i'r ffordd. Fe welon nhw'r hen wraig yn sefyll o flaen y bwthyn â'r pren yn fflamio ac yn mygu yn ei llaw. Roedd golwg ofnadwy arni nawr. Daeth sŵn y ceffylau yn nes. Yna gwelodd Arthur pwy oedd yno. Syr Tomos Llwyd a Wil Gruffydd y stiward. Gwelwodd y bachgen ac aeth cryndod drwyddo i gyd. Gwelodd Arthur Syr Tomos yn taflu llygad ar yr hen wraig. Roedd honno'n mwmian rhywbeth ac roedd y pren coch yn ei llaw yn cyfeirio'n syth at Syr Tomos. Yna cododd ei llais.

'Melltith! Melltith! Naw melltith ar deulu Ffynnon Bedr!'

A oedd boch Sgweier Ffynnon Bedr wedi gwelwi? Meddyliodd Arthur iddo weld ofn yn ei lygad wrth fynd heibio. Beth bynnag roedd dychryn yn amlwg ar wyneb Wil Gruffydd. Ond erbyn hyn roedd sŵn y ceffylau wedi pellhau.

Daeth yr hen wraig yn ôl i'r tŷ. Roedd y golau

wedi mynd allan o'i llygaid, ac eisteddodd unwaith eto'n swrth ar ei stôl.

Edrychodd y crythor ar Arthur.

'Wyt ti'n meddwl mai ar dy ôl di maen nhw?'

'Dim syniad,' meddai'r bachgen mewn penbleth.

Pennod 5

Noson Ffair Galangaeaf yn Llanbedr Pont Steffan, ac roedd y dre'n llawn. Ar y palmant tu allan i hen dafarn y Castell roedd yr hen faledwr yn canu'i gân drist am 'Yr Eneth Gadd Ei Gwrthod', a rhyw ddeg llath oddi wrtho roedd stondin y cheap Jack a thyrfa o ferched a bechgyn ifanc o'i chwmpas. Ar y stondin roedd cyllyll poced rhad, clustlysau gloyw i'r merched a phob math o bethau a fyddai'n debyg o dynnu sylw pobl ifanc. Roedd y cheap Jack yn gweiddi nawr ac yn y man a'i lais cras yn torri ar draws llais tyner yr hen faledwr. Ond roedd llawer o leisiau yn y ffair y noson honno – lleisiau llawen y gweision a'r morynion a oedd newydd orffen blwyddyn o waith caled ar y ffermydd o gwmpas Llanbed, lleisiau'r gwragedd oedd yn gwerthu cawl a chacennau ar y stondinau bwyd a lleisiau mwy distaw'r gwehyddion oedd wedi dod yr holl ffordd o ardal Llandysul y diwrnod hwnnw i werthu gwlanen gynnes erbyn y gaeaf.

Gweiddi, canu a chwerthin, dyna oedd i'w glywed, ac roedd pawb yn edrych yn hapus ac yn ddiofal yn Llanbed y noson honno. Ond mewn corneli tywyll o'r hen dref roedd sibrwd yn mynd ymlaen hefyd. Pe baech wedi mynd ati i sylwi'n fanwl fe allech ddod o hyd i ddau neu dri o ddynion yma ac acw oedd â dim diddordeb yn y ffair. Rheini oedd yn sibrwd ac yn trafod yn ddistaw yn y tywyllwch.

Cerddodd dyn ifanc, tal yn hamddenol i lawr y stryd heibio i'r stondinau. Trodd mwy nag un ferch ifanc ei phen i edrych arno, ond ddangosodd e ddim ei fod wedi sylwi ar hynny. Roedd ei lygaid du'n gwibio i bobman serch hynny, a hawdd gweld ei fod yn edrych am rywun yn y dyrfa. Cerddodd heibio i'r hen faledwr a heibio i ddrws agored tafarn y Castell ac yn sydyn stopiodd, a gwrando.

Uwchlaw sŵn y ffair gallai glywed nodau melys y crwth yn treiddio trwy ddrws agored y dafarn. Clustfeiniodd am ychydig yna trodd ac aeth i mewn i'r dafarn.

Roedd cegin fawr y Castell yn llawn ond roedd lle clir ar ganol y llawr ac yno roedd y crythor yn canu ac yn dawnsio a phawb wedi tyrru o'i gwmpas i wrando ac i wylio.

Gwthiodd Twm Siôn Cati (gan mai pwy oedd y dyn ifanc, tal) ei ffordd drwy'r dorf ac yna safodd yntau i wrando.

Dynion digon garw oedd yn y Castell y noson honno; porthmyn a ffermwyr gan mwyaf, a'r mwyafrif ohonyn nhw'n hanner meddw. Ond roedd pawb wedi sefyll i wrando ac i wylio'r crythor.

Roedd rhywbeth yn ei lais tenor a'i wyneb tenau oedd yn ei wneud yn wahanol i faledwyr y ffair.

Arhosodd Twm iddo ddod i ben a'i gân, ac iddo eistedd i lawr yng nghornel y gegin fawr, yna aeth ato.

'A! Rwyt ti wedi cyrraedd rwy'n gweld,' meddai'r crythor.

'Do. Wyt ti wedi cael rhyw wybodaeth am Siôn Morys?'

'Na, dwi ddim wedi clywed yr un gair. Rwy wedi bod yn holi, ond naill ai mae ofn ar ddynion ddweud, neu dy' n nhw ddim yn gwybod.' Gwgodd Twm arno. Yna neidiodd i ben cadair a gwaeddodd, 'Tawelwch os gwelwch chi'n dda!'

Chymerodd neb fawr o sylw. Yna gwaeddodd yn uwch, 'Tawelwch!'

Trodd pawb yn y stafell ato a syrthiodd distawrwydd dros y lle.

'Oes yma rywun yn gwybod be sy wedi digwydd i Siôn Morys?' gofynnodd mewn llais clir.

Roedd yna ddistawrwydd llethol am eiliad, a phawb yn edrych arno'n syfrdan. Yna dechreuodd y dyrfa o'i gwmpas sibrwd yn isel.

'Wel?' gofynnodd eto. 'Oes rhywun yn gwybod beth sy wedi digwydd i Siôn Morys?'

'Pwy yw hwn? Pwy yw e?' meddai lleisiau syn o ganol y dorf.

'Rwy'n gwybod 'i fod e wedi'i gymryd i'r ddalfa gan Syr Tomos, a'i fod e wedi'i gyhuddo o ddwyn hwrdd,' meddai Twm. 'Ond dwi ddim yn gwybod beth sy wedi digwydd iddo wedyn.'

'Gwell i ti fod yn ofalus, machgen i,' meddai rhywun o'r dorf, 'neu fe fyddi di yn yr un man â Siôn Morys!

'Rwyt ti'n ddierth i'r dre 'ma,' meddai hen ŵr yn ei ymyl. 'Rwyt ti wedi dweud gormod yn barod; nawr, mae'n well i ti fynd adre ar unwaith.'

'O ble rwyt ti'n dod?' gwaeddodd rhywun arall.

'O Dregaron,' meddai Twm.

'Rwy'n 'i nabod e!' meddai bachgen ifanc o ben draw'r gegin. Edrychodd pawb tuag ato. 'Fe enillodd y ras ar y gaseg – caseg ddu Plas y Dolau, yn erbyn caseg Syr Tomos ryw ddwy flynedd 'nôl!'

'Twm Siôn Cati yw e!' gwaeddodd rhywun arall.

'Ie,' meddai Twm. 'Mae Siôn Morys yn ewyrth i fi.'

'Gwell i ti anghofio amdano fe,' meddai'r hen ŵr gan ysgwyd ei ben.

Roedd yna ddistawrwydd am ychydig.

'Ond mae gen i hawl i ga'l gwybod be sy wedi digwydd iddo!' gwaeddodd Twm.

'Does gan neb hawl i ddim yn y dre 'ma!' meddai rhywun.

'Wel mae'n bryd i bethe newid 'te!'

Cododd chwerthin chwerw o ganol y dorf.

'Ond roeddech chi'n nabod Siôn Morys,' meddai Twm. 'Ry'ch chi i gyd yn gwybod nad lleidr oedd e! Ac eto ry'ch chi'n barod i anghofio'r hyn sy wedi digwydd iddo!'

Ddywedodd neb air er bod rhai'n edrych yn euog ar ei gilydd.

Wrth fwrdd yn ymyl wal roedd pedwar dyn garw yr olwg yn eistedd, ac o dan y bwrdd roedd dau gi defaid mawr, blewog. Roedd hi'n weddol amlwg oddi wrth eu gwisg a'r ffyn praff yn eu dwylo mai porthmyn oedden nhw. Ar y dechrau doedd yr un o'r pedwar wedi cymryd fawr o sylw o'r hyn oedd yn mynd ymlaen yng nghegin y Castell gan eu bod yn brysur iawn yn siarad ac yn yfed. Ond yn sydyn cododd un ohonyn nhw ar ei draed yn sigledig.

'Ro'n i'n nabod Siôn Morys,' meddai â'i dafod yn dew. 'Hen fachgen caredig oedd e, a dwi eisie gwybod ble mae e wedi mynd.'

'Eiste lawr Stifin!' gwaeddodd ei ffrindiau. Ond doedd Stifin ddim yn gwrando ar neb.

'Na, na,' meddai gan gamu i ganol y llawr. 'Na, na, na, na! Ble mae Siôn Morys? Beth sy wedi digwydd iddo?'

Roedd ei dri cyfaill yn ei ymyl erbyn hyn, ac yn cydio yn ei freichiau. Ond gwthiodd y porthmon nhw o'r ffordd.

'Mae'r bachan 'ma'n iawn,' meddai. 'Wel, fachan dierth, gad i ni fynd i edrych am Siôn Morys. Hen fachan da oedd e, ac rwy am 'i weld e 'to.'

Edrychodd o gwmpas y stafell, 'Pwy sy'n barod i ddod gyda ni i edrych am Siôn Morys?'

Cododd y crythor o'r gornel.

'Mi wna i,' meddai.

Edrychodd y porthmon ar ei dri cyfaill. 'Wel?' meddai.

'Chei di ddim mynd dy hunan,' meddai un ohonyn nhw.

Roedd hi'n hawdd gweld fod Stifin yn dipyn o arwr gan bawb yn y dafarn, a cyn hir roedd eraill wedi dweud eu bod yn barod i fynd gydag e. Gwelodd Twm, a oedd yn sefyll ar ben y gadair o hyd, fod tua dwsin neu ragor yn barod i'w mentro hi.

'I ble?' gofynnodd Stifin, gan edrych ar Twm.

'I'r plas!'

Safodd pawb yn syn am funud.

'Wel!' meddai Stifin, 'ffwrdd â ni 'te – i'r plas!'

Daeth Twm i lawr o ben y gadair. Cydiodd yr hen ŵr yn ei fraich.

'Fe fydd plwm yn dy galon di heno, machgen i, os ei di i'r plas.' Ond cafodd ei eiriau'u boddi gan leisiau'r lleill.

Pennod 6

Cerddodd y cwmni bach i fyny'r lôn tuag at y plas. Doedd dim llawer gan yr un ohonyn i'w ddweud erbyn hyn. Twm a'r crythor a Stifin y porthmon oedd ar y blaen a'r lleill yn rhyw ddilyn o bell, fel pe baen nhw'n disgwyl bob munud i'r tri oedd yn arwain droi 'nôl.

Roedd Twm yn gwybod yn iawn ei fod ar siwrnai a oedd yn llawn perygl, ac roedd ei law dde'n cydio'n dynn yng ngharn llyfn, oer y pistol ym mhoced ei got fawr – y pistol roedd wedi'i ddwyn oddi wrth y lleidr pen-ffordd hwnnw – beth oedd ei enw – Brant? John Brant. Cofiodd iddo feddwl yn hir am y pistol yma cyn gadael Tregaron. Doedd e ddim wedi cario arf fel hwn erioed o'r blaen; roedd hi'n well ganddo bob amser ddibynnu ar ei ddyrnau pan fyddai mewn trwbwl.

Ond roedd clywed am yr hyn a ddigwyddodd i Siôn Morys, a gwybod fod Syr Tomos Llwyd yn ddyn mor ofnadwy, wedi gwneud iddo benderfynu dod â'r pistol gydag e.

Daeth golau ffenesti'r las i'r golwg. Doedd Twm ddim wedi gweld yr adeilad enwog yma erioed o'r blaen, ond hyd yn oed yn y tywyllwch roedd e'n gallu gweld ei fod yn anferth o fawr. O'i gwmpas roedd coed uchel yn tyfu ac o frigau'r coed hynny nawr daeth cri tylluan. Doedd dim sŵn arall yn unman – dim ond sŵn eu traed ar y lôn. Edrychodd y crythor ar Twm. Sylwodd ei fod yn cerdded â'i gefn yn syth fel milwr. A oedd yn mynd i'r pen draw a'r antur yma? Yn ei galon roedd e'n gwybod na fyddai'n troi 'nôl ar unrhyw gyfri. Yna dechreuodd y crythor feddwl amdano'i hun. A oedd e'n ddigon dewr i'w ddilyn hyd at ddrws mawr y plas? Teimlodd gryndod yn ei goesau a rhyw ysgafnder yn ei ben. A beth am y porthmon?

Yna cyfarthodd ci tu mewn i'r plas. Roedd wedi clywed sŵn eu traed yn nesáu, meddyliodd y crythor. Roedd e wedi clywed straeon rhyfedd am gŵn y plas.

Erbyn hyn roedd y tri cyntaf wedi cyrraedd drws y plas. O'r fan honno roedden nhw'n gallu clywed rhagor o gŵn yn cyfarth. Cerddodd Twm at y drws a'i guro, yna camodd yn ôl. Gwnaeth y sŵn i'r cŵn gyfarth yn uwch ac yn fwy ffyrnig. Ond agorodd y drws mawr ddim. Roedd Twm ar fin mynd i guro unwaith eto pan glywodd sŵn ffenest yn agor yn union uwch ei ben.

Daeth pen Syr Tomos allan drwy'r ffenest agored, 'Be sy'n bod?' gwaeddodd yn ffyrnig, 'Pwy sy 'na?'

'Ry'n ni wedi dod i'ch gweld chi ynglŷn â Siôn Morys, Cwmbychan,' gwaeddodd Twm.

'Siôn Morys, Cwmbychan? Wel, beth amdano fe?'

'Mae e wedi'i gyhuddo ar gam, ac ry'n ni wedi dod 'ma i ofyn i chi'i ryddhau e.'

Cododd Syr Tomos ei lais. 'Y'ch chi wedi mentro dod 'ma dan gysgod nos i roi gorchmynion i fi? Y tacle di-werth! Ewch adre ar unwaith cyn i fi adel y cŵn yn rhydd!'

Distawrwydd llethol oni bai am chwyrnu isel y cŵn y tu mewn i'r drws. Yna llais Syr Tomos wedyn.

'Tawn i'n gallu'ch gweld chi a'ch nabod chi, fe gawn ni setlo hyn â chi fory! Y'ch chi'n mynd neu nad y'ch chi?' Roedd ei lais wedi codi'n sgrech nawr.

'Syr Tomos,' meddai Twm. 'Dy'n ni ddim yn mynd nes cawn ni wybod be sy wedi digwydd i Siôn Morys!'

'Y carthion! Arhoswch chi funud! Gollyngwch y cŵn! Gollyngwch y cŵn!'

Clywodd Twm sŵn traed yn rhedeg y tu ôl iddo. Roedd y rhan fwyaf o'r dynion 'dewr' oedd wedi dod gydag e o'r Castell wedi dianc. Ond roedd Stifin a'r crythor yn dal 'u tir. Lawr ymhen isa'r lôn roedd lleisiau'n gweiddi, 'Stifin! Stifin!' Yna agorodd y drws mawr.

'Hys! Hys!' gwaeddodd Syr Tomos o'r llofft. Neidiodd tri ci anferth tuag atyn nhw.

'Rhedwch! Rhedwch!' gwaeddodd y crythor, 'mae'r rhain yn gŵn ofnadwy!'

Ond doedd dim llawer o gyfle i redeg. Roedd y ci cyntaf yn dod yn syth tuag atyn nhw. Tynnodd

Twm y pistol o boced ei got. Gwelodd y ci'n codi ei ddwy droed flaen i ymosod arno. Taniodd ar unwaith. Rhaid bod y fwled wedi mynd yn syth i galon y ci oherwydd cwympodd yn farw gelain wrth ei draed a gorweddodd yno'n hollol llonydd.

'Hys! Hys!' gwaeddodd Syr Tomos.

Roedd pastwn yn llaw'r porthmon a thrawodd un o'r ddau gi arall fel roedd yn nesáu tuag atyn nhw. Trawodd e yn ei dalcen a syrthiodd hwnnw i'r llawr hefyd. Ciliodd y trydydd ci yn ôl yn araf tuag at y drws gan chwyrnu'n ofnadwy wrth fynd.

Diflannodd pen Syr Tomos o'r ffenest a chlywson nhw ei lais yn gweiddi'n wyllt y tu mewn i'r tŷ. Yna daeth sŵn lleisiau uchel eraill a sŵn traed. Roedd y plas i gyd yn deffro.

'Rwy'n mynd,' meddai'r porthmon. Dyna i gyd. Roedd y lleuad yn goleuo'i wyneb garw a Twm yn gwybod nad wyneb dyn ofnus oedd e. Roedd y porthmon wedi penderfynu nad oedd siawns gwneud dim wrth aros yn y fan honno. Yna digwyddodd rhywbeth a wnaeth i'r tri ohonyn nhw redeg nerth eu traed. Daeth sŵn traed trwm yn rhedeg i fyny'r lôn tuag atyn nhw a sŵn rhagor o gŵn yn chwyrnu.

'Y ciperiaid!' gwaeddodd y crythor. Rhaid eu bod wedi clywed sŵn yr ergyd tra oedden nhw allan yn y coed yn edrych a oedd rhai o fechgyn y dref yn potsian.

Ar yr un pryd daeth sŵn traed yn rhedeg o gyfeiriad y drws mawr o'r tu ôl iddyn nhw.

Rhedodd y tri i gyfeiriad y coed trwchus ar draws lawnt lydan y plas. Roedd y cŵn yn udo o'r tu ôl nawr.

'Rhaid i ni wahanu,' gwaeddodd Twm. Yna roedd wedi colli'r ddau arall yn y tywyllwch o dan y coed. Dechreuodd redeg nerth ei draed nawr. Cyn hir daeth at dipyn o ddrain a drysni anodd mynd trwyddo. Clywodd sŵn gweiddi uchel o'r tu ôl iddo. Aeth i lawr ar ei liniau a chropian fel anifail drwy'r drain trwchus.

Daeth at nant fach â'i dŵr yn sgleinio yng ngolau'r lleuad. Cerddodd i mewn i'r dŵr a theimlo'r oerfel yn cydio yn ei goesau. Llithrodd ar garreg yng ngwaelod y nant a bu bron â chwympo'n bendramwnwgl i'r dŵr. Yna cyrhaeddodd y lan yr ochr draw. Cerddodd i fyny gyda glan yr afon fach am dipyn a gallai glywed y cŵn yn cyfarth rywle tua'r fan lle roedd e wedi mynd i mewn i'r dŵr. Rhaid eu bod wedi colli'i drywydd am dipyn, gan iddo groesi'r nant. Meddyliodd y gallai ddefnyddio'r nant i'w helpu i ddianc. Er mwyn drysu'r cŵn ymhellach cerddodd i mewn i'r dŵr unwaith eto a chamu ar hyd gwely'r nant am ryw ganllath. Yna croesodd yn ôl i'r ochr arall – yr un lan â'r cŵn a'r ciperiaid.

Pennod 7

Fe fyddai'n anodd dod o hyd i'w drywydd am dipyn, meddyliodd Twm. Yna daeth syniad gwyllt i'w ben. Beth am fynd 'nôl i gyfeiriad y plas a dianc yr un ffordd ag y daeth? Beth oedd wedi digwydd i'r ddau arall? Gweddïodd eu bod wedi llwyddo i ddianc neu byddai ar ben arnyn nhw.

Llithrodd yn ddistaw bach drwy'r coed. Roedd hi'n amlwg oddi wrth y sŵn fod y cŵn a'i elynion yn chwilio o gwmpas y fan lle roedd e wedi croesi'r nant y tro cyntaf.

Cyn hir gallai weld golau'r plas drwy'r coed. Croesodd y lawnt gan gadw ar ei hymyl yn y cysgodion. Doedd hi ddim yn ymddangos fod neb o gwmpas. Rhaid fod pawb wedi dilyn y cŵn ar eu hôl nhw.

Daeth gyferbyn â'r ffenest lle gwelodd Syr Tomos yn sefyll. Roedd honno ar agor o hyd a golau llachar yn dod allan drwyddi.

Safodd am eiliad o dan y ffenest. Roedd iorwg trwchus yn dringo'r wal yn y fan honno, ac yn sydyn teimlodd awydd cryf i ddringo'r iorwg i'r ffenest er mwyn dod wyneb yn wyneb â'r dihiryn a oedd wedi achosi cymaint o ofid i Siôn Morys a'i fab, Arthur. Ond na, byddai dringo'r iorwg yn gofyn am drwbwl. Dechreuodd ei ffordd i gyfeiriad y lôn. Yna stopiodd. Fe fyddai Arthur am wybod beth oedd wedi digwydd i'w dad. Roedd wedi addo y byddai'n dod 'nôl â gwybod iddo. Sut allai wynebu'r crwt heb unrhyw wybodaeth o gwbwl? Trodd 'nôl, a dechrau dringo'r iorwg fel mwnci.

Roedd yn dasg weddol hawdd i fachgen mor ystwyth i gyrraedd y ffenest. Y perygl oedd iddo wneud sŵn wrth ddringo. Daeth ei ben at sil y ffenest a stopiodd i wrando. Allai e ddim clywed dim. A oedd Syr Tomos hefyd wedi mynd ar ei ôl e a'r porthmon a'r crythor?

Cymerodd un cam arall i fyny. Cododd ei ben yn araf. Roedd e'n edrych i mewn i stafell fawr gyfforddus. Ar y wal gyferbyn roedd nifer o gleddyfau a dryllau. Roedd pen carw'n edrych yn syth tuag ato o'r wal hefyd. Ond doedd llygaid gwydr y pen carw ddim yn gallu'i weld. Tynnodd ei hunan yn ddistaw i ben sil y ffenest a nawr gallai weld y stafell i gyd. Roedd tân coed mawr yn llosgi yn y grat ac ar fwrdd yn ymyl y tân roedd dwy botelaid o win a gwydrau. Doedd yr un enaid byw yn y stafell.

Taflodd ei goes dros y sil a disgynnodd yn ysgafn ar garped coch llawr y stafell. Gwelodd ddesg fawr yn erbyn y wal ac aeth ati. Roedd pob drôr ynghlo.

Rhaid bod Syr Tomos wedi mynd gyda'r lleill.

Yr eiliad honno clywodd sŵn traed yn dod at y drws. Doedd dim amser i groesi'r stafell at y ffenest agored, a gwasgodd ei gorff yn erbyn y wal tu ôl i'r drws. Gwelodd fwlyn mawr melyn y drws yn cael ei droi. Cerddodd Syr Tomos i mewn. Trodd i gau'r drws, ac wrth gwrs, gwelodd Twm.

Am un eiliad safodd y ddau yn edrych ar ei gilydd. Roedd pob gewyn yng nghorff Twm yn dynn fel tannau telyn, yn barod i neidio am wddf y gŵr bonheddig. Edrychodd Syr Tomos fel pe bai'n methu'n lân a chredu ei lygaid. Tynnodd Twm ei bistol gwag.

'Un gair o'ch ceg chi, Syr Tomos,' meddai, 'ac fe fydd bwled yn eich calon chi.' Siaradodd mor gadarn nes gwneud i Syr Tomos ddal ei anadl.

'Rwyt ti'n wallgo i ddod yma,' meddai, 'rhaid dy fod ti'n gwbod nad oes gen ti ddim siawns mynd oddi yma.'

'Eisteddwch ar y gadair fan'co, Syr Tomos,' meddai Twm.

Symudodd Syr Tomos ddim. Symudodd Twm oddi wrth y wal a gwthiodd faril ei bistol i stumog y gŵr bonheddig. Eisteddodd hwnnw heb ragor o lol.

'Rwy'n dy nabod di, meddai Syr Tomos ar ôl iddo eistedd. 'Rwy wedi dy weld di o'r blaen yn rhywle.'

'Do, ond does gen i ddim amser i siarad am hynny nawr, Syr Tomos. Ble mae Siôn Morys?'

Edrychodd Syr Tomos arno ond ddywedodd e ddim gair.

Aeth Twm gam yn nes at y bwrdd. Cododd y pistol a'i anelu at fynwes Syr Tomos.

'Fe gei di ateb am hyn . . .'

'Ble mae Siôn Morys?'

'Mae e . . . mae e yn Aberteifi.' Roedd llais Syr Tomos yn crynu.

'Yn Aberteifi?'

'Ie, yng ngharchar Aberteifi, a does dim y gelli di neud i'w gael e oddi yno.'

'Nagoes,' meddai Twm yn chwerw. 'Ond mae 'na rywbeth y gelli di 'i neud.'

'Beth?'

'Papur, inc a chwilsyn,' meddai Twm.

'I beth?'

'I ti gael sgrifennu llythyr i awdurdode'r carchar.'

'Na, wna i ddim mo hynny.'

Plygodd Twm yn sydyn dros y bwrdd a chydiodd yng ngholer ei got a'i dynnu ar ei draed. Aeth wyneb Syr Tomos yn borffor.

'Ble mae'r inc a'r papur?' gofynnodd Twm.

'Y . . . yn nrôr y ddesg fan'co.'

'Yr allwedd!' meddai Twm yn ddiamynedd. Rhoddodd y gŵr bonheddig ei law ym mhoced ei wasgod liwgar. Roedd Twm yn ei wylio fel barcud.

'Fe gei di dy grogi am hyn!' meddai Syr Tomos rhwng ei ddannedd. Ond tynnodd allwedd fach, loyw allan o'i boced a'i gosod ar y bwrdd. Cydiodd Twm ynddi ac aeth lwyr ei gefn tuag at y ddesg.

Yr eiliad honno clywodd sŵn traed trwm yn dod i fyny'r grisiau. Stopiodd yn stond ar ganol y llawr. Daeth sŵn y traed yn nes ac yna stopio. Yn y distawrwydd llethol gallai Twm glywed rhywun yn anadlu'n drwm tu allan i'r drws. Gwelodd y bwlyn mawr melyn yn cael ei droi. Yr eiliad nesaf daeth cawr o ddyn anferth i mewn i'r stafell. Morgan yr Osler.

'Syr! Syr Tomos . . .' Stopiodd y cawr ar hanner ac edrychodd yn syn ar Twm. Yna edrychodd ar Syr Tomos. Roedd ei geg fawr ar agor pan drodd i edrych ar Twm eto. Cymerodd gam ymlaen.

'Paid â dod gam yn nes!' meddai Twm gan anelu ei bistol tuag ato. Ond ddangosodd y cawr ddim ei fod yn ei glywed. Ond clywodd Twm sŵn llechwraidd tu ôl iddo a throdd i weld llaw Syr Tomos yn ddwfn yn nror y ford. Doedd dim eisiau dewin i ddyfalu am beth roedd y gŵr bonheddig yn edrych. Â dwy naid gyflym roedd Twm yn ymyl y ffenest agored. Cymerodd un cip dros ei ysgwydd a gwelodd bistol du yn llaw Syr Tomos. Taflodd ei goes dros y sil a llithrodd drosti i'r iorwg tu allan. Yr eiliad honno taniodd Syr Tomos ei bistol. Aeth y fwled trwy'r gwydr uwch ei ben a'i chwalu'n deilchion. Disgynnodd rhai darnau mân, miniog ar ei wyneb.

Nawr roedd yn crafangu i lawr yn gyflym dros yr iorwg.

Clywodd sŵn uwch ei ben a phan edrychodd i fyny gwelodd fod y cawr wedi cyrraedd y ffenest ac yn edrych i lawr arno. Clywodd lais Syr Tomos yn gweiddi. 'Cer o'r ffordd y ffŵl! O'r ffordd i fi gael cyfle arall!'

Yna yn ei frys collodd Twm ei afael ar yr iorwg a theimlodd ei hun yn cwympo. Disgynnodd yn drwm ar y grafel o dan y ffenest a theimlodd boen yn saethu trwy ei goes chwith. Cododd ar unwaith a dechrau rhedeg i lawr y lôn. Clywodd sŵn ergyd a chlywodd y fwled yn taro'r grafel mân ar y lôn tu ôl iddo. Yna clywodd sŵn gweiddi o ben draw'r lawnt, a sŵn cyfarth. Roedd y boen yn ei bigwrn chwith yn arteithiol, ond daliodd ati i redeg i lawr y lôn. Ei unig obaith nawr oedd rhedeg. Ond roedd y boen yn ei bigwrn yn gwaethygu gyda phob cam ac allai e ddim mentro nerth ei draed rhag ofn i'r goes roi o dano'n llwyr. Roedd y sŵn cyfarth a'r gweiddi'n dod yn nes.

Daeth at y glwyd fawr. Roedd honno ar agor a rhedodd am y dref. Meddyliodd y gallai gymysgu â'r bobl yn y ffair ac felly ddianc ar y cŵn. Ond roedd hi wedi mynd yn hwyr a dim ond ychydig bobl oedd o gwmpas, ac roedd y rhan fwyaf o'r goleuadau wedi'u diffodd. Daeth at geg stryd gul a rhedodd yn gloff iddi. Roedd y cŵn yn ennill arno, ac onibai fod aroglau llawer o bobl ar y stryd y noson honno fe fydden nhw wedi'i ddal. Gwasgodd ei wefusau'n dynn er mwyn ymladd y boen yn ei bigwrn.

Byddai'n rhoi'r byd y funud honno am gael aros a thynnu ei esgid. Clywodd gyfarth uwch a sylweddolodd fod y cŵn wedi dechrau'r ffordd i lawr yr un stryd ag e.

Roedd e'n gwybod nawr na allai redeg llawer rhagor. Gwelodd ddrws tywyll o'i flaen a chlosiodd ato. Cododd y gliced ond roedd y drws ynghlo. Aeth ymlaen wedyn o ddrws i ddrws yn herciog. Yna, a'i gefn ar ddrws isel ag arogl tar arno, fe safodd. Roedd y cŵn yn ffroeni'r drysau ugain llath oddi wrtho, a gallai glywed lleisiau'n eu hannog ymlaen. Sylweddolodd na allai symud cam o'r fan honno oherwydd y boen yn ei bigwrn, a dechreuodd baratoi i gwrdd â'i elynion.

Yn sydyn teimlodd y drws tu ôl iddo'n rhoi! Yr eiliad nesaf roedd rhywbeth wedi cydio'n ei war a'i dynnu i mewn i'r tŷ. Cwympodd i'r llawr ar ei gefn, ond cafodd ei lusgo gan bwy bynnag oedd wedi gafael yn ei war. Yna clywodd y drws yn cael ei gau a'r allwedd yn clecian yn y clo.

Cafodd ei adael ar wastad ei gefn ar lawr cegin digon tlawd yr olwg. Edrychodd Twm i fyny a gweld tri dyn yn edrych i lawr arno. Ddywedodd yr un o'r tri yr un gair, dim ond edrych yn graff, fel pe baen nhw'n ceisio'i bwyso a'i fesur.

Sylwodd Twm fod dau o'r tri yn ifanc yr olwg, a'r

trydydd yn ddyn mawr, cryf, canol oed. Yna sylwodd mai dim ond un fraich oedd gan y dyn mawr; roedd ganddo fachyn haearn gloyw lle dylai'r llall fod. Deallodd mai'r bachyn yma oedd wedi'i lusgo i mewn i'r gegin.

Fe geisiodd Twm godi ar ei draed, ond rhoddoddd un o'r ddau ddyn ifanc ei droed ar ei frest. Gelynion oedd rhain hefyd?

Yna daeth sŵn ci'n udo tu allan, a chododd y tri dyn eu pennau. Yn y distawrwydd fe glywon nhw sŵn traed trwm yn nesáu, ac yna sŵn curo ar y drws.

Roedd golwg ofnadwy ar wyneb y dyn un fraich. Gwnaeth arwydd ar y ddau fachgen ifanc a chydiodd rheini yn Twm a'i gario trwy ddrws ymhen pella'r stafell. Roedden nhw nawr mewn lle hollol dywyll ac allai Twm weld dim, ond roedd rhyw arogl rhyfedd yn ei ffroenau.

Pennod 8

Y diwrnod wedyn roedd hen dref Llanbed yn llawn cyffro i gyd, er ei bod yn ymddangos yn ddigon tawel ar yr wyneb. Doedd fawr o neb ar y strydoedd, ond tu ôl i lenni'r ffenesti, roedd llygaid yn gwylio. Ac yn y tai roedd pobl yn sibrwd ac yn gwrando.

Yn ystod y bore roedd llawer o fynd a dod wedi bod rhwng y plas a'r dref a nawr ac yn y man roedd dynion Syr Tomos yn carlamu heibio ar gefn ceffylau. Unwaith gwelodd y llygaid cudd y sgweier mawr ei hun yn mynd heibio ar gefn ei gaseg enwog, Biwti. Roedd golwg fygythiol ar ei wyneb.

Erbyn amser cinio roedd sôn wedi mynd ar led bod cwnstabliaid a gweision Syr Tomos heb lwyddo i ddal y dyn ifanc a oedd wedi bod yn achosi trwbwl yn y plas y noson cynt. Dywedodd rhai'u bod wedi'i golli yn ystod y nos rywle yn y strydoedd cul i lawr yn ymyl yr afon. Roedd hyd yn oed y cŵn wedi colli'i drywydd fel pe bai'r ddaear wedi'i lyncu. Roedd y rhan fwyaf yn credu'i fod wedi dianc yn ddigon pell o Lanbed yn ystod y nos, ond roedd eraill yn dweud ei fod yn gloff, a bwled Syr Tomos yn ei goes, ac na fyddai wedi gallu gadael y dref.

Dyna oedd barn Syr Tomos ei hun, medden nhw, ac felly roedd wedi rhoi gorchymyn i'w ddynion chwilio pob tŷ yn y dref, cyn dechrau chwilio yn y wlad o gwmpas. Yn barod roedd pob un o'r bythynnod yn y strydoedd tlawd yn ymyl yr afon wedi'u harchwilio'n fanwl, a'r tenantiaid wedi'u holi'n drylwyr gan Syr Tomos ei hunan. Roedd un, Deio'r Gweydd, wedi'i holi'n fanylach na'r lleill gan fod y sgweier yn gwybod yn eithaf da fod y dyn un fraich hwnnw'n ddig wrtho, ac os oedd rhywun yn y dre wedi mentro helpu, roedd y sgweier yn siŵr mai'r gweydd oedd hwnnw.

Roedd hi'n amser cinio cyn i'r gweision a'r cwnstabliaid allu dweud wrth Syr Tomos fod pob tŷ wedi'i archwilio'n fanwl. Ond doedd dim sinc na sôn am Twm Siôn Cati yn unman.

Am hanner awr wedi deuddeg carlamodd deg o ddynion ar gefn ceffylau allan o Lanbed i gyfeiriad Tregaron. Cwnstabliaid y dref oedd tri ohonyn nhw a phob un yn cario lamp wrth y cyfrwy. Pump o weision a chiperiaid y plas ynghyd â Syr Tomos a'r stiward oedd y lleill.

Roedd Ledi Eluned Prys, y Dolau, Tregaron yn cerdded yng ngardd y plas. Nawr ac yn y man byddai'n plygu i dorri blodyn o un o'r gwelyau cymen. Blodau ola'r hydref oedden nhw, a dim ond ychydig oedd ar ôl yn werth eu torri. Roedd y lleill wedi gwywo bob un.

'Ffárwel haf,' meddai Ledi Eluned wrthi'i hunan. 'Fe roddodd yr hen bobl enw iawn arnoch chi.' Edrychodd yn fwy manwl ar y petalau copr hardd. Gwelodd fod eu hymylon wedi dechrau crino.

'Fe fydd hi'n aea'n fuan iawn nawr,' meddai'n drist. Ond nid meddwl fod y gaeaf yn ymyl oedd yn gyfrifol am dristwch Ledi Eluned. Roedd hi'n gofidio bod Twm Siôn Cati ddim wedi dod nôl o Lanbed.

Eisteddodd ar hen fainc yng nghanol yr ardd. Roedd gwynt main yn chwythu y diwrnod hwnnw, ond roedd cloddiau trwchus o gwmpas yr ardd a doedd hi ddim yn teimlo'n oer. Eisteddodd yno'n meddwl am amser hir. Roedd hi wedi bod yn teimlo'n anesmwyth iawn er pan ddaeth Twm ati i ddweud ei fod yn mynd i Lanbed i weld beth oedd wedi digwydd i dad y bachgen – Arthur, a oedd nawr yn aros gyda'i fodryb, mam Twm, ym Mrynglas. Byddai wedi hoff dweud wrtho am beidio â mentro ar siwrnai mor beryglus, ond roedd hi'n gwybod na fyddai dim yn ei rwystro ar ôl iddo benderfynu. Ac yn wir, yn ei chalon, roedd rhaid iddi gyfaddef fod Twm yn iawn i fynd. Roedd perthynas iddo wedi dioddef cam mawr, a'i ddyletswydd e oedd edrych i mewn i'r mater. Ond beth am ei ddyletswydd tuag ati hi, meddyliodd wedyn? Roedden nhw wedi trefnu priodi cyn y Nadolig! Pa hawl oedd ganddo i fynd i beryglu'i fywyd yn Llanbed? Drwy'r dydd roedd hi wedi ceisio peidio â meddwl am yr hyn oedd yn debyg o ddigwydd yn Llanbed. Roedd hi wedi ceisio bod yn brysur wrth y peth hwn a'r peth arall – dyna pam roedd hi'n dod i'r ardd i dorri blodau. Ond nawr wrth eistedd ar yr hen fainc bren daeth ei hofnau i gyd yn ôl. Pa siawns oedd ganddo yn erbyn dyn mor ddylanwadol â Syr Tomos? Roedd hi wedi gweld droeon fel roedd Twm wedi mynd ar ei ben i drwbwl trwy fod yn rhy fentrus? Roedd trwbwl rywsut yn ei ddilyn o hyd. Daeth hanner gwên fach drist i'w hwyneb wrth gofio am rai o frwydrau Twm. Ond ciliodd y wên ar unwaith pan gofiodd am ddrygioni a chreulondeb Sgweier Ffynnon Bedr.

Daeth awel fach o wynt o rywle gan chwythu dail crin o'r coed ffawydd oedd yn tyfu o gwmpas yr ardd. Syrthiodd un ar ei ffrog sidan wen. Cododd ar ei thraed wrth deimlo ias o oerfel yn mynd trwyddi.

'Gobeithio y daw e 'nôl heno,' meddai wrthi'i hunan wrth gerdded tua'r glwyd.

Yn sydyn clywodd sŵn yng nghlawdd trwchus yr ardd. Trodd ei phen a gwelodd ben yn dod i'r golwg yng nghanol y drain. Edrychodd yn syn wrth weld ysgwyddau yn dilyn y pen. Adnabyddodd y wyneb ar unwaith. Arthur oedd e. Sylwodd fod golwg wyllt arno. Aeth tuag ato ac estynnodd law i'w dynnu i mewn i'r ardd trwy'r llwyni.

'Be sy?' gofynnodd.

Cododd y bachgen ar ei draed cyn ateb.

'Mae . . . mae Syr Tomos ym Mrynglas . . . yn chwilio am Twm . . .' Roedd allan o wynt.

'Ble mae Twm? Be sy wedi digwydd iddo?'

Teimlodd ofn yn ei chalon.

'Fe glywais y sgweier yn dweud wrth Modryb Cati . . . fod Twm wedi torri mewn i'r plas neithiwr ac wedi bygwth Syr Tomos â gwn . . .'

'O Twm . . . yr hen ffŵl gwirion!' meddai Ledi Eluned.

'Fe ddwedodd Syr Tomos fod ganddo fe ddynion yn edrych amdano fe ymhob man . . . fe ddwedodd . . .'

'Beth?'

'Fe ddwedodd na fydde fe ddim yn gorffwys nes bydde fe wedi'i ddala fe – yn fyw neu'n farw.'

'Yn fyw neu'n farw?' Dywedodd Ledi Eluned y geiriau ar ei ôl yn ddistaw.

'Fe ddwedodd wrth Modryb Cati 'i fod e am chwilio'r tŷ. Fe redais i wedyn trwy ddrws y cefn rhag ofn y bydde fe'n 'y ngweld i. Beth allwn ni 'neud?'

Ie, meddyliodd Ledi Eluned, beth oedd i'w wneud nawr? Roedd hi'n teimlo fel dweud wrth y bachgen fod ei dad wedi bod yn ffôl iawn i wrthod gwerthu'r cae i Syr Tomos. Wedi'r cyfan dim ond cae oedd e. Ond nawr roedd bywyd dau ddyn mewn perygl, ac un ohonyn nhw oedd Twm.

Yna clywodd y ddau sŵn carnau ceffylau yn dod i fyny'r lôn y tu draw i glawdd yr ardd. Edrychodd y ddau ar ei gilydd.

'Maen nhw'n dod 'ma!' meddai Ledi Eluned.

'Beth alla i neud nawr Mei Ledi?' gofynnodd Arthur yn wyllt.

'Dere gyda mi ar unwaith!' Cydiodd Ledi Eluned yn ei fraich a'i arwain at dŷ haf bach ymhen draw'r ardd.

Pennod 9

Roedd Ledi Eluned wedi cyrraedd y plas pan ddaeth ceffylau Syr Tomos a'r stiward at y porth mawr. Roedd y cwnstabliaid a'r lleill wedi'u gadael ym mhentre Tregaron i wneud ymchwiliadau yno. Disgynnodd Wil Gruffydd ac aeth i ganu'r gloch. Clywodd Ledi Eluned y forwyn yn mynd i agor y drws.

Edrychodd ar ei llun yn y drych mawr uwchben y tân. Roedd hi'n edrych yn rhy welw o lawer! Rhwbiodd ei bochau â'i bysedd i geisio cael tipyn o liw yn ôl iddyn nhw. Yna daeth y forwyn i ddweud fod Syr Tomos Llwyd, Ffynnon Bedr wedi galw i gael gair â gwraig y plas.

'Dwedwch wrth Syr Tomos am ddod mewn, a gwaeddwch ar rywun i ofalu am y ceffylau,' meddai a'i llais yn llyfn.

'Ar ôl i'r drws gau aeth Ledi Eluned at gwpwrdd ym mhen pella'r stafell a thynnodd allan botelaid o win a gwydrau. Wedyn eisteddodd ar gadair. Roedd ei chalon yn curo fel morthwyl.

'Syr Tomos Llwyd Ffynnon Bedr!' meddai'r forwyn wrth agor y drws, a cherddodd y gŵr bonheddig i mewn a'r stiward wrth ei sodlau. Cododd Ledi Eluned ac aeth tuag ato.

'Syr Tomos! Dyma ymweliad annisgwyl! Croeso i'r Dolau. Dewch i eistedd.' Gwenodd arno ac ymgrymodd.

Ond gwgu wnaeth Syr Tomos. 'Does gen i ddim amser i'w wastraffu, madam,' meddai'n anfoesgar.

'Ond Syr Tomos . . !'

'Ry'ch chi'n nabod Twm Siôn Cati wrth gwrs, madam?'

'Ydw wrth gwrs, mae e'n gweithio gyda ni 'ma'n aml . . .'

'Ble mae e nawr, madam?'

'Dim syniad, Syr Tomos. Pam, oes rhywbeth o le?'

'Beth wnaeth i chi feddwl fod rhywbeth o le?' Roedd Syr Tomos yn edrych i fyw ei llygaid.

Chwarddodd Ledi Eluned.

'Ond ry'ch chi'n ymddwyn mor od Syr Tomos. Ry'ch chi'n gwgu, a dy'ch chi ddim yn arfer bod mewn cymaint o frys pan fyddwch chi'n dod i'r Dolau . . . mae'n rhaid fod rhywbeth o le. Dewch nawr, eisteddwch i ni gael clywed beth sy'n bod.'

Eisteddodd Syr Tomos ar ymyl y gadair, ond roedd e'n dal i wgu'n ffyrnig.

'Diferyn bach o win, Syr Tomos? Mae gen i botel fan yma sy wedi bod yn seler y Dolau ers blynyddoedd mawr iawn. Fe hoffwn i gael eich barn chi arni.'

Arllwysodd lond gwydr o win melyn, gloyw o'r

botel. Ond doedd Syr Tomos ddim mor awyddus am win da ag arfer. Ond derbyniodd y gwydryn o'i llaw serch hynny. Eisteddodd hithau gyferbyn ag e. Am eiliad roedd hi wedi anghofio'r cwbwl am y stiward a oedd yn sefyll yn ymyl y drws.

'Wel, beth amdano?' meddai.

'M? O . . . y gwin?'

Cododd y gwydryn i'w geg ac yfodd y cyfan ag un llwnc. Yna gosododd y gwydryn ar y bwrdd a chododd ar ei draed yn sydyn.

'A nawr, madam,' meddai, 'rhaid i mi ofyn i chi am ganiatâd i chwilio'r plas am Twm Siôn Cati.' Roedd yn gwylio'i hwyneb fel barcud.

Agorodd Ledi Eluned ei llygaid led y pen. 'Chwilio'r plas? Syr Tomos! Dy'ch chi ddim yn meddwl 'mod i'n 'i gadw fe 'ma yn y Dolau y'ch chi?' Gwenodd yn gellweirus arno.

'Rwy am eich caniatâd chi, Madam!'

'Mae pob croeso i chi wrth gwrs, os y'ch chi'n dewis. Ond fe fyddwch yn gwastraffu'ch amser cofiwch.'

'Dwi ddim yn mynd i adael un garreg heb 'i throi,' meddai Syr Tomos, gan led godi o'i gadair.

'O does dim rhaid i chi fynd, Syr Tomos!' Gwnaeth Ledi Eluned wyneb siomedig. 'Ro'n i am gael tipyn o hanes Llanbed a'r cylch. Ry'n ni'n bell o bobman yn Nhregaron 'ma. Rwy'n gweld fod eich stiward wedi dod gyda chi. Rwy'n siŵr y bydde fe'n fodlon chwilio stafelloedd y plas, ac fe gaiff e bob rhyddid i edrych ble mynno fe, Syr Tomos. All y forwyn fynd gydag e.'

Wrth ddweud y geiriau hyn roedd hi wedi llenwi gwydryn Syr Tomos yr ail waith. Yna tynnodd raff y gloch a daeth y forwyn i mewn ar unwaith.

'Mei Ledi?'

'Mae stiward Ffynnon Bedr am edrych dros y plas, Meri. Ewch gydag e a rhowch bob rhyddid iddo edrych ymhob twll a chornel.'

Edrychodd y stiward ar Syr Tomos ac edrychodd hwnnw o un i'r llall yn amheus. Ond roedd y gŵr bonheddig wedi blino, ac roedd y gadair yn gyfforddus a'r gwin yn dda. Gwnaeth arwydd ar Wil Gruffydd i fynd gyda'r forwyn.

'A gwna fawr o'r cyfle!' gwaeddodd pan oedd hwnnw'n mynd allan drwy'r drws.

Ar ôl i'r drws gau, cododd Syr Tomos ei wydryn llawn at ei enau.

'Wel nawr 'te,' meddai gwraig ifanc y plas, gan eistedd gyferbyn ag e. 'Beth yw'r hanes o Lanbed?'

'Does dim ond un hanes o Lanbed, madam – hanes y dihiryn, Twm Siôn Cati!'

Dyna'r hanes roedd hi'n ysu am gael ei glywed, ond wiw iddi ddangos hynny.

'O rwy'n siŵr fod pethau mwy diddorol gyda chi i sôn amdanyn nhw . . .'

'Dy'ch chi ddim yn deall, madam. Y'ch chi'n gwybod beth wnaeth y gwalch?'

Ysgydwodd Ledi Eluned ei phen.

'Fe ddringodd mewn i'm stafell i neithiwr, madam! Ac fe ddaliodd bistol at 'y mhen i! Rhaid i chi faddau i mi, ond rwy'n ofni na alla i ddim dioddef mân siarad heddi. Fe ddringodd i fyny'r iorwg a mewn drwy'r ffenest. Mae'n syndod 'mod i'n fyw!'

'Ond pam, Syr Tomos?'

'Pam?'

'Ie, pam y gwnaeth e'r fath beth?'

'Roedd y . . . y . . . y . . . gwalch ar ôl fy arian i debyg iawn.' Estynnodd ei wydryn am ragor o win. 'Y celwyddgi!' meddyliodd Ledi Eluned wrth ei lenwi eto.

'Lwyddodd e ddim i ddwyn dim, gobeithio, Syr Tomos?'

'Naddo, fe ddaeth un o'r gweision mewn pryd.'

'Ac fe ddihangodd?'

'Do, ond nid cyn i fi roi bwled yn 'i goes e.'

Teimlodd Ledi Eluned ias yn mynd trwyddi. Bwled yn ei goes! O Twm, yr hen ffŵl gwirion! A ble roedd e'r funud honno? Falle'i fod e'n gorwedd yn rhywle'n gwaedu i farwolaeth. Gwelodd Syr Tomos yn edrych yn graff arni.

'A finne wedi bod yn rhoi gwaith iddo!' meddai. 'Do'n i ddim yn gwybod 'i fod e'n lleidr. Fe ofala i na chaiff e ddim rhagor o waith yn y Dolau.' Roedd hi'n siarad i guddio'i theimladau.

'Fe ofala i am hynny, madam. Pan fydda i wedi gorffen ag e, fydd e ddim yn gallu gweithio dros neb, alla i fentro dweud wrthych chi!'

Roedd Ledi Eluned yn teimlo fel rhedeg allan o'r stafell. Ond roedd hi'n gwybod nad oedd hynny'n syniad da.

'Ond sut ry'ch chi'n meddwl 'i fod e wedi dod 'nôl i Dregaron os oes bwled yn 'i goes e?' gofynnodd. Roedd hi am gael cymaint ag y gallai o'r hanes allan o Syr Tomos.

'Ry'n ni wedi chwilio pob tŷ yn nhre Llanbed, a does dim sinc na sôn amdano fe.'

Yna meddalodd dipyn – efallai o dan effaith y gwin.

'Rhaid i chi faddau i ni am eich poeni chi fel hyn, Ledi Prys, ond rwy'n benderfynol o ddal y gwalch. Ble bynnag y mae e, mi fydda i'n siŵr o ddod o hyd iddo'n hwyr neu'n hwyrach, fe allwch chi gymryd 'y ngair i am hynny.'

Roedd ei eiriau'n swnio'n ddychrynllyd i glustiau Ledi Eluned. Yn sydyn roedd hi am gael gwared ohono er mwyn iddi gael amser i feddwl.

'Fe gollodd y cŵn 'i drywydd e mewn hen stryd fach gul yn ymyl yr afon,' meddai Syr Tomos yn feddylgar. 'Fe ddiflannodd fel pe bai'r ddaear wedi'i lyncu. Ro'n i'n meddwl ar y dechrau 'i fod e wedi cael 'i dderbyn i un o'r tai. Ond fe chwilion ni bob twll a chornel . . .' Ysgydwodd ei ben. 'Mae'n rhyfedd i'r cŵn golli'i drywydd e. Ond roedd hi'n nos y ffair ac roedd 'na lawer o bobl wedi bod yn cerdded o gwmpas. Os oes rhywun yn nhre Llanbed wedi rhoi cysgod iddo fe, fe fydd yn difaru alla i fentro dweud wrthoch chi!'

Edrychodd yn awgrymog ar y botel eto. 'Mae hwn yn win da, Ledi Eluned. Oes 'na lawer rhagor o'i fath e yn seler y Dolau?'

Arllwysodd wydryn arall iddo. Pam nad ei di? Pryd ddaw'r stiward melltigedig 'na nôl? Dyna'r meddyliau oedd yn gwibio trwy'i hymennydd. Yna cofiodd am y bachgen a oedd wedi'i gloi yn y tŷ haf yn yr ardd. A oedd e'n debyg o ddod o hyd iddo? Roedd un cysur ganddi – roedd yr allwedd yn ddiogel yn ei phoced.

O'r diwedd clywodd gnoc ar y drws a daeth y stiward 'nôl.

'Does dim sôn amdano fe yn un man, syr.'

Cododd Syr Tomos ar ei draed.

'Rhaid i mi ofyn eich maddeuant, Madam, am eich poeni chi fel hyn.' Roedd ei lygaid bach yn edrych ar ei hwyneb tlws, ac unwaith eto teimlodd Ledi Eluned ias yn mynd trwyddi.

Yna roedd y ddau wedi mynd i lawr y lôn a'r sŵn pedolau wedi diflannu i'r pellter. Aeth Ledi Eluned yn benisel i'r ardd i ryddhau'r carcharor yn y tŷ haf.

Pennod 10

Carlamodd y deg marchog yn ôl ar hyd y ffordd i gyfeiriad Llanbedr Pont Steffan.

Gan fod Syr Tomos wedi rhoi gorchymyn fod rhaid galw ym mhob tŷ ar y ffordd i ofyn a oedd rhywun wedi gweld Twm Siôn Cati, roedd hi'n dechrau tywyllu pan aethon nhw drwy Langybi. Cyn hir fe ddaethon nhw at yr hen fwthyn gwael lle cafodd Arthur a'r crythor eu pryd o fwyd, sef Tŷ Clotas, cartref yr hen wraig ryfedd honno, Elen Tŷ Clotas.

Ffrwynodd Syr Tomos ei gaseg. Doedd hi ddim eto wedi mynd yn rhy dywyll i'r gweision weld y wên fileinig ar ei wyneb.

'Gwaedda arni!' meddai wrth y stiward. Arhosodd Wil Gruffydd am eiliad. Cofiodd am yr hen wrach yn sefyll ar ochr y ffordd â ffagl ynghynn yn ei llaw, yn gweiddi bygythion ar deulu Ffynnon Bedr. Cofiodd hefyd am yr holl storïau a oedd o gwmpas am yr hen wraig ryfedd yma. Er bod Syr Tomos yno gydag e, roedd e'n teimlo'n ofnus. Ond edrychodd y sgweier yn ddiamynedd arno, felly roedd rhaid iddo ufuddhau.

'Elen!' gwaeddodd, 'Dere mas, Elen, i ni gael gair â ti!' Ond ddaeth yr un ateb o'r bwthyn.

'Gwaedda'n uwch!' meddai Syr Tomos. 'Falle'i bod hi'n drwm 'i chlyw.'

'Elen!' gwaeddodd y stiward. 'Yn enw'r gyfraith dere mas!' Dim symudiad o gyfeiriad y bwthyn. Yn sydyn collodd Syr Tomos ei dymer yn llwyr.

'Dere mas yr hen wrach frwnt!' gwaeddodd. Dim ateb.

Roedd y distawrwydd nawr yn llethol. Roedd hyd yn oed y ceffylau fel petaen nhw'n gwrando am unrhyw sŵn o'r tu mewn. Roedd ofn yng nghalon y stiward – ofn y byddai Syr Tomos yn rhoi gorchymyn iddo fynd i mewn i nôl yr hen wraig.

'Mae'n debyg nad yw hi ddim adre, syr,' meddai. Ond yr eiliad honno, fel petai wedi'i glywed, torrodd chwerthin oeraidd, gwallgof ar y distawrwydd. Gweryrodd un neu ddau o'r ceffylau a chododd Biwti ei phen yn wyllt. Aeth y sgweier yn gacwn.

'Dere mas neu mi losga i'r twlc 'ma i'r llawr!' gwaeddodd a'i lais yn denau. Meddyliodd y stiward ei bod yn rhyfedd na fyddai wedi rhoi gorchymyn i rywun fynd i mewn i'w nôl hi. Rhaid bod tipyn o ofn yr hen greadur arno yntau hefyd. Yna cydiodd Syr Tomos yn y lamp oedd ynghlwm wrth gyfrwy'r cwnstabl nesaf ato. Cymhellodd y gaseg yn nes at y bwthyn. Agorodd ffenest y lamp a daliodd y fflam noeth o dan y to gwellt isel. Cydiodd yr hen wellt sych ar unwaith. Yna roedd y fflamau'n dringo i'r awyr a mwg gwyn yn gymylau rhyngddyn nhw â'r awyr. Cyn pen fawr o dro roedd y to i gyd ar dân.

'Fe fydd yn rhaid iddi ddod mas nawr, beth bynnag!' meddai'r sgweier gan chwerthin. Chwarddodd rhai o'r lleill yn ofnus gydag e.

Erbyn hyn roedd y lle yn olau gan y fflamau. Gweryrodd y ceffylau gan ofn a dechreuodd bawb gilio rhag y gwres.

'Gwell i ti ddod, Elen, neu fe gei di dy rostio!' gwaeddodd rhywun. Fe geisiodd pawb chwerthin yn nerfus eto. Roedd pob llygad ar y drws yn disgwyl gweld yr hen wrach yn dod i'r golwg. Ond ddaeth hi ddim. Erbyn hyn roedd y to'n wenfflam. Edrychodd pawb ar ei gilydd yn syfrdan. A oedd yr hen wraig yn mynd i losgi i farwolaeth yn hytrach na dod allan? Trodd y stiward at y sgweier. Roedd hwnnw'n wên o glust i glust.

Llosgodd yr hen do sych yn gyflym. Nawr roedd y trawstiau cam yn y golwg a'r rheini'n cynnau bob un fel eithin sych. Wedyn syrthiodd y to a'r trawstiau a'r cyfan i mewn i'r bwthyn a chododd un fflam anferth i'r nefoedd.

'Ddaw hi ddim allan mwy, Syr Tomos,' meddai'r stiward ymhen tipyn â chryndod yn ei lais. Edrychodd y sgweier i lawr arno oddi ar gefn ei gaseg dal. Roedd yn dal i wenu o hyd.

'O'r gorau,' meddai. 'Dyna un hen wrach yn llai i boeni'r byd. Fe fydd hyn yn wers i eraill. Dewch, mae gyda ni adar eraill i'w dal heno.' Sbardunodd ei gaseg a charlamodd i ffwrdd i gyfeiriad Llanbed.

Pennod 11

Ble roedd Twm Siôn Cati? Pan gydiodd y ddau ddyn ifanc ynddo a'i gario i'r tywyllwch yng nghefn y tŷ, doedd dim syniad ganddo beth oedd yn mynd i ddigwydd iddo, ac erbyn hyn doedd dim llawer o wahaniaeth ganddo chwaith. Doedd e ddim yn teimlo fel ymladd rhagor pe baen nhw ar y ffordd i'w foddi yn yr afon. Ac yn wir, yr eiliad nesaf, fe gredodd mai dyna oedd eu bwriad. Roedd e'n gwybod eu bod wedi dod allan i'r awyr agored oherwydd gallai deimlo awel oer y nos ar ei wyneb. Yna clywodd un o'r bechgyn yn sibrwd yn gyffrous yn ei glust, 'Bydd yn ddistaw bach os wyt ti am gadw'n fyw!'

Yna – mor sydyn nes y bu bron iawn iddo weiddi – fe teimlodd ei hun yn cwympo trwy'r tywyllwch. Disgynnodd i mewn i ryw bwll gwlyb, lleidiog. Roedd ar fin gweiddi i ofyn beth oedd ym meddwl y ddau pan gofiodd eiriau un ohonyn nhw yn ei glust eiliad ynghynt.

Yna clywodd sŵn traed trwm a lleisiau uwch ei ben, a goleuadau'n mynd yn gyflym o un man i'r llall. Clywodd rywun yn gweiddi'n ffyrnig ond allai e ddim deall y geiriau.

Teimlodd y llaid gwlyb yn mynd trwy ei ddillad, ond llaesodd y dŵr oer ychydig ar y boen yn ei bigwrn. Ble roedd e? Allai e yn ei fyw ddyfalu.

Aeth amser heibio a distawodd pob sŵn. Cododd ar ei draed a dechreuodd symud o gwmpas y pwll lleidiog gan deimlo'r ochrau â'i ddwylo. Roedd rhyw fath o fwsog llaith yn tyfu arnyn nhw, ond roedden nhw'n rhy llyfn i'w dringo. Wrth deimlo felly am amser, sylweddolodd ei fod mewn twll tua chwe throedfedd sgwâr. Edrychodd i fyny. Allai e ddim gweld seren na dim.

Aeth rhagor o amser heibio, a nawr roedd ei draed mor oer â dau dalp o rew. A oedden nhw'n bwriadu'i adael yno i farw? Roedd e'n teimlo'n siŵr na fyddai'n gallu byw tan y bore yn y fath le.

Yna'n sydyn disgynnodd rhywbeth 'plop' yn y llaid yn ei ymyl. Estynnodd ei law a chyfwrdd â phen rhaff drwchus. Tynnodd hi a'i theimlo'n tynhau. Gafaelodd yn dynnach a theimlodd ei hun yn cael ei dynnu i fyny. Yn fuan iawn roedd ar ei bengliniau ar lawr caled, sych. Cydiodd rhywun yn ei fraich a'i godi ar ei draed a'i arwain drwy'r tywyllwch. Aethon nhw i mewn trwy ddrws agored a daeth yr arogl hynod hwnnw i ffroenau Twm unwaith eto.

Roedd e 'nôl nawr yn y gegin lle roedd e wedi bod yn gorwedd ar y llawr rhyw ddwyawr ynghynt.

Roedd tanllwyth o dân mawn yn y grat. Yn ymyl y tân roedd hen sgiw dderw ac yn ei hymyl fwrdd bach crwn, â channwyll felen, dew yn llosgi arno. Wrth y bwrdd roedd gwraig fach, dew a'i gwallt mor wyn â'r eira'n eistedd. Trodd Twm i edrych ar y dyn a oedd wedi'i arwain i mewn. Y dyn un fraich oedd e. Doedd neb arall yn y stafell.

Am eiliad syllodd Twm a'r dyn un fraich ar ei gilydd. Erbyn hyn roedd Twm wedi sylweddoli fod y dyn yma wedi achub ei fywyd, ac roedd digon yn ei ben i ddeall nad oedd wedi gwneud hynny heb beryglu'i fywyd ei hunan.

'Diolch,' meddai.

Lledodd gwên dros wyneb garw'r dyn mawr. 'Am beth? Am dy daflu di i bwll y rhod?'

'Pwll y rhod oedd e, iefe? Doedd gen i ddim syniad. Ond ro'n i'n falch cael dod o'na!'

'Ie, pwll y rhod; gweydd ydw i – Ianto'r Gweydd ac rwy'n defnyddio'r rhod i droi'r ddau wŷdd.'

'Wrth gwrs, arogl y gwlân oedd yn fy ffroenau i. Fe ddylwn wybod.'

'Ie,' atebodd y gweydd. 'Dyna'r arogl a ddrysodd y cŵn synnwn i ddim.'

'Pam yr est ti i'r drafferth o achub 'y mywyd i?' gofynnodd Twm.

'Allwn i ddim gadael i'r cŵn dy gael di; a pheth arall, mae gen i hen sgôr i'w setlo â'r sgweier.'

'Ti hefyd? Beth wnaeth e i ti?'

'Roedd gan Martha a finne fab; a phan golles i

’mraich ro’n i’n methu gweithio, ac roedd hi’n galed arnon ni . . . ac fe aeth e i’r coed i edrych am gwningen i’w rhoi yn y cawl a . . .’

‘Ianto alla i ddim diodde!’ meddai’r wraig fach wrth y tân.

‘Ie, wel, does dim angen ailadrodd yr hanes. Fe elli di ddychmygu’r gweddill mae’n debyg. Fe gafodd ’i ddal a ddaeth e ddim ’nôl yn fyw. Dyna’r ddyled sy arna i i Sgweier Ffynnon Beder, a ryw ddiwrnod cyn y bydda’ i farw fe garwn i ’i thalu hi’n llawn.’

Edrychodd Twm ar ei wyneb cadarn a sylweddolodd fod gan Syr Tomos un gelyn o leiaf, a fyddai’n brwydro tan y diwedd.

‘Mae’r bachgen ifanc yn wlyb, Ianto,’ meddai’r wraig fach. ‘Gwell iddo fynd i’r pen ucha’ i newid.’

Roedd Twm yn wlyb domen, er nad oedd wedi sylweddoli hynny’n iawn nes i’r wraig fach dynnu’i sylw at y ffaith.

Cododd Martha’r gannwyll oddi ar y bwrdd crwn ac aeth o’i flaen i ben ucha’r tŷ. Gwnaeth y gweydd arwydd arno i’w dilyn. Roedd gwely mawr yn y pen ucha, a hen gwpwrdd derw. Allan o ddrôr hwnnw tynnodd y wraig fach bâr o ddillad gweddol newydd yr olwg. Gosododd nhw’n dyner ar y gwely, ac yn sydyn sylweddolodd Twm mai dillad ei mab oedd rhain.

‘Na,’ meddai, ‘rhowch chi rheina’n ôl yn y drôr.’

‘Na, gwisga di nhw, dyna fel y bydde fe wedi

dymuno. Roedd e'n dal hefyd fel ti. Fe fyddan nhw'n dy ffitio di'n iawn.'

Yna trodd ei phen yn sydyn, ond nid cyn i Twm weld deigryn mawr yn cwympo ar y llawr.

Roedd cannwyll arall yn ymyl y gwely. Wedi cynnau honno aeth y wraig fach allan o'r stafell.

Eisteddodd Twm ar gadair a thynnodd ei sgidiau gwlyb yn gyntaf. Doedd ei bigwrn ddim yn ei boeni agos cymaint nawr. Rhaid bod yr amser hir a dreuliodd yn y llaid ar waelod pwll y rhod wedi stopio'r chwydd rywfaint. Ond wedi tynnu ei esgid gwelodd fod ei bigwrn yn las drosto a phrin y gallai ddioddef cyffwrdd ag e â'i fys. Gwelodd badell a jwg â'i phig wedi torri yng nghornel y stafell. Rhoddodd y badell ar y llawr ac arllwysodd dipyn o ddŵr oer o'r jwg iddi. Golchodd ei droed yn dyner yn y dŵr a theimlodd hynny'n gwneud lles iddo.

Wrth iddo wneud hyn daeth y gweydd i mewn i'r stafell. Plygodd i edrych ar bigwrn Twm.

'Does dim niwed arno. Wedi cwympo'n lletchwith ar dy droed, mae'n debyg.'

'Ie,' meddai Twm. 'Wrth ddringo allan o ffenest y plas neithiwr.'

Agorodd y gweydd ei lygaid.

'Fentraist ti ddim i mewn i'r plas?'

'Do, ond heb fawr o lwc.'

Ond roedd y gweydd yn dal i edrych arno gydag edmygedd.

'Synnwn i ddim,' meddai ymhen tipyn, 'y gallet ti dalu'n dyledion ni i gyd i'r sgweier.'

'Byddai'n dda gen i wybod sut y galla i wneud hynny,' meddai Twm. 'Mae'r gyfraith tu ôl iddo.'

'Wfft i'r gyfraith sy gan Syr Tomos! Cyfraith y diafol yw hi. Mae'r sgweier wedi gwneud cam mawr â llawer ohonon ni erbyn hyn, ac mae'r nifer yn cynyddu bob dydd. Mae'r amser wedi dod i wneud rhywbeth. Ry'n ni wedi bod yn disgwyl rhywun i'n harwain ni ers amser, ac os wyt ti'n barod i wneud hynny, mi fyddwn ni'n fodlon dy ddilyn di i ben draw'r byd os bydd eisie.'

Ysgydwodd Twm ei ben. 'Ond does gen i ddim syniad beth i'w wneud! Sut alla i arwain neb? Fe wnes i gawl o bethau neithiwr . . . neu heno. Faint o'r gloch yw hi?'

'Mae'n tynnu am ddau o'r gloch y bore.'

'O. Wel, yn y lle cynta' rwy am i ti wybod nad oes syniad gen i beth sy'n mynd i ddigwydd i mi nawr. Mae Syr Tomos yn gwybod yn iawn pwy ydw i, ac mae'n debyg na fedra i ddim dangos fy wyneb yn ystod y dydd yn Llanbed na Thregaron o hyn ymlaen. Does dim syniad gyda fi sut rwy'n mynd i ddianc o'r tŷ 'ma hyd yn oed.'

'Does dim eisie i ti frysio o'ma.'

'Ond synnwn i ddim na fyddan nhw 'nôl 'ma yn y bore i edrych eto amdana i; alla i ddim peryglu dy fywyd di a dy wraig trwy aros yma.

‘Fe allwn ni dy daflu di’n ôl i bwll y rhod os daw rhywun,’ meddai’r gweydd dan wenu.

‘Dwi ddim am fynd lawr fan’ny eto os alla i beidio. Ond mae’r bigwrn ’ma – fedra i ddim cerdded yn dda iawn, heb sôn am redeg os daw dynion Syr Tomos. Pe bai’r gaseg gen i . . .’

‘Y gaseg?’

‘Ie. Mae gen i gaseg yn Nhregaron. Pe bawn i’n cael honno o’dana i fe allwn i glecian ’y mysedd ar Syr Tomos a phawb.’

‘Fe drefnwn ni fod y gaseg ’ma erbyn nos yfory.’

‘Sut?’ gofynnodd Twm yn syn.

‘Fe gaiff Idris ac Ifor fynd i Dregaron ar unwaith i’w nôl hi.’

‘Idris ac Ifor?’

‘Ie. Y ddau efaill oedd ’ma pan ges ti dy lusgo i mewn i’r gegin neithiwr. Fe alla i ddibynnu arnyn nhw.’

Pennod 12

Roedd Syr Tomos Llwyd yn eistedd wrth y tân yn ei stafell grand yn y plas. Roedd gwg ar ei wyneb a'i ddwrn yn cau ac agor bob nawr ac yn y man fel pe bai ei feddwl yn gynhyrfus am rywbeth. Trodd at y bwrdd bach yn ymyl y tân ac arllwysodd wydraid o win iddo'i hunan o'r botel ddu oedd arni. Yfodd hanner y gwydraid ar un llwnc ac yna trodd i edrych yn hir i lygad y tân. Trawodd y cloc ar y wal wyth o'r gloch.

Dechreuodd feddwl am ddigwyddiadau cyffrous y diwrnod hwnnw a daeth gwên i'w wyneb wrth gofio am fwthyn yr hen wrach yn llosgi, ond daeth yr olwg gas 'nôl eto wrth gofio fod Twm Siôn Cati heb ei ddal. Dechreuodd feddwl am beth fyddai'n ei wneud ag e ar ôl cael gafael ynddo. Roedd ganddo ddigon yn ei erbyn i'w grogi, wrth gwrs. Roedd torri i mewn i dŷ gŵr bonheddig a'i fygwth â phistol yn ddigon o drosedd i'w grogi yn ôl y gyfraith. Yn y diwedd, wrth gwrs, fe fyddai'n rhaid ei grogi, ac fe fyddai e yno'n ei weld yn hongian a'i goesau'n cicio'r awyr. Caeodd ac agorodd ei ddwrn yn gyflym. Ond cyn ei grogi . . . byddai'n rhaid ei gosbi'n araf bach. Roedd dyn ar ôl ei hongian wrth raff yn marw'n weddol fuan – yn rhy fuan. O! na. Byddai rhaid dangos iddo cyn iddo farw nad oedd hi ddim yn talu . . . ddim yn talu o gwbwl i groesi gŵr bonheddig Ffynnon Bedr.

Ond yn gyntaf roedd rhaid ei ddal. Sut yn y byd oedd e wedi llwyddo i ddianc? Sut allai dyn cloff – dyn wedi'i saethu yn ei goes – ddiflannu fel yna? Roedd hi'n amhosib ei fod wedi mynd ymhell. Yna dechreuodd fynd dros ddigwyddiadau'r noson gynt yn ei feddwl.

Diflannodd y trywydd yn ymyl yr afon yn y stryd gefn . . . ac yn y stryd honno roedd y gweydd yn byw. Yfodd Syr Tomos weddill cynnwys y gwydryn. Y gweydd! Roedd e'n siŵr fod gan y gweydd rywbeth i'w wneud â diflaniad sydyn Twm Siôn Cati. Caeodd ei ddwrn yn dynn.

Arllwysodd wydraid arall o win. Aeth ei feddwl 'nôl i'r noson honno pan gafodd Ifan Bach y Gweydd ei ddal yn hela ar dir y plas. Roedden nhw'n galw Ifan Bach arno, er ei fod yn chwe troedfedd, am ei fod yr un enw â'i dad, er mai Ianto oedd pawb yn galw hwnnw. Doedd dim sôn am botsiars am sawl blwyddyn ar ôl gwneud siampl o Ifan Bach y Gweydd. Ond nawr roedd ei dad – mewn rhyw ffordd neu'i gilydd – wedi helpu'r dihiryn Twm Siôn Cati i ddiflannu. Ond roedd ei weision wedi chwilio'r tŷ a'r cefn a phob man y noson honno! Doedd dim arwydd o neb. Ond roedd y cŵn wedi'u harwain nhw at ddrws tŷ'r gweydd a dim pellach.

Yn sydyn cododd Syr Tomos ar ei draed. Rhaid iddo gadw llygad ar dŷ'r gweydd. Dyma waith i Morgan yr Osler. Tynnodd raff y gloch. Daeth y forwyn i mewn yn ofnus fel arfer. Edrychodd Syr Tomos yn gas arni.

'Morgan!' gwaeddodd. 'Ar unwaith!' Aeth y forwyn allan ar frys. Cerddodd Syr Tomos o gwmpas y stafell. Pam na fyddai wedi meddwl am hyn yn gynt? Efallai fod yr aderyn wedi cael cyfle i ddianc erbyn hyn. Ond beth bynnag, Morgan oedd y dyn i ddelio â'r gweydd. Roedd ar bawb arall ormod o'i ofn. Ond doedd dim ofn neb ar Morgan. Gwenodd wrtho'i hunan. Fe fyddai wrth ei fodd yn gweld Morgan a'r gweydd yn mynd i'r afael â'i gilydd – byddai'n frwydr werth ei gweld.

Agorodd y drws a cherddodd yr osler i mewn. Roedd e'n edrych yn fwy lletchwith nag arfer. Safodd Syr Tomos yn ei wylio'n feddylgar am dipyn. Yna gwenodd a dweud, 'Rwy am i ti fynd lawr i wylio tŷ'r gweydd, Morgan, i weld pwy sy'n mynd mewn a phwy sy'n dod allan, rhag ofn fod y Twm Siôn Cati 'na o gwmpas y lle yn rhywle. Rwyt ti'n cofio Twm Siôn Cati, Morgan? Y dyn fuodd yn y stafell 'ma neithiwr a dianc drwy'r ffenest?'

Amneidiodd Morgan i ddangos ei fod yn cofio.

'Rhaid i ti ofalu na fydd neb yn dy weld. Os alli di edrych drwy'r ffenest heb i neb dy weld gorau i gyd. Cyn hir, Morgan – heno falle – fe fydd eisie cosbi'r gweydd am 'i dricie.'

Ar ôl i'r osler fynd trodd Syr Tomos yn ôl at y tân unwaith eto. Eisteddodd yno'n meddwl ac roedd hi'n amlwg fod gwell hwyl arno erbyn hyn. O, roedd yn gyfarwydd â chael pobl gyffredin y dref a'r cylch yn achosi trafferth a chynnwrf cyn hyn. Roedd rhai wedi trio ymladd yn ei erbyn o'r blaen.

Ond roedd e wedi dysgu gwers iddyn nhw bob un. 'Maen nhw fel ceffylau,' meddyliodd. 'Heb ffrwyn tynn – maen nhw'n rhedeg yn wyllt.' Rhyw gynnwrf dros dro oedd hyn eto, ac ar ôl iddo ddysgu gwers neu ddwy iddyn nhw byddai popeth yn tawelu eto. Roedd rhaid dangos iddyn nhw pwy oedd y meistr, ac roedd e wedi dechrau arni'n barod.

Arllwysodd wydraid arall o win iddo'i hunan ac yna cododd ar ei draed a mynd at y ffenest. Tynnodd y llenni trwm 'nôl ac edrychodd allan dros ddyffryn Teifi. Roedd cymylau trwm yn symud yn gyflym ar draws yr awyr, gan fod y gwynt yn uchel. Y funud honno roedd un cwmwl mawr yn cuddio'r lleuad ac allai Syr Tomos weld dim ond cysgodion y coed o gwmpas y lawnt. Gwyliodd y cwmwl yn symud ar draws yr awyr. Gwelodd ei ymylon yn goleuo fel roedd ei gynffon yn mynd dros y lleuad. Yna roedd wedi mynd ac roedd y lawnt yn olau fel dydd.

Yn union ar ganol y lawnt fe welodd rywbeth a wnaeth iddo roi'i law ar ei galon mewn ofn. Yno'n sefyll roedd hen wraig esgyrnog mewn carpiau nad oedd ond prin cuddio'i chorff. Roedd ei gwallt gwyn yn chwifio yn y gwynt wrth olau'r lleuad. Roedd hi'n estyn ei breichiau tuag at Syr Tomos yn y ffenest, ac yn un llaw roedd cyllell hir. Roedd hi'n sefyll yno fel hen wrach wedi disgyn yn sydyn o'r cwmwl, a'r olwg fwyaf brawychus arni. Syrthiodd y gwydryn gwin o law'r sgweier a malu'n ddarnau ar y llawr.

Camodd 'nôl yn frysiog oddi wrth y ffenest. Roedd ei wyneb coch yn welw fel calch ac allai e ddim rhwystro'i hun rhag crynu fel deilen. Rhuthrodd at y drws a'i agor. Ar ben y grisiau safodd a gweiddi nerth ei geg.

'Wil! Wil Gruffydd! Wil!'

Am funud roedd pobman fel y bedd yna clywodd ddrws yn agor a chau i lawr y grisiau a daeth wyneb cul y stiward i'r golwg.

'Be sy, Syr Tomos? Be sy?'

'Dere 'ma,' meddai'r sgweier yn wyllt, a chamodd 'nôl i'r stafell.

Pan ddaeth Wil Gruffydd i mewn edrychodd yn syn ar wyneb ei feistr. Doedd e ddim wedi gweld y fath olwg arno erioed o'r blaen.

'Be sy wedi digwydd, syr?' gofynnodd eto.

'Y ffenest!' meddai Syr Tomos. 'Edrych drwy'r ffenest . . . ar y lawnt . . .'

Camodd y stiward yn ofnus at y ffenest a thynnodd y llenni 'nôl. Edrychodd allan. Roedd y lawnt yn olau o hyd, ond doedd yr un dyn byw i'w weld, na dim yn symud yn unman, dim ond canghennau'r coed pîn yn chwifio yn y gwynt. Trodd 'nôl mewn penbleth at ei feistr.

'Wela i ddim byd, syr.'

'Yr hen Elen! Fedri di ddim gweld yr hen Elen Tŷ Clotas ar ganol y lawnt?'

Agorodd y stiward ei lygaid mewn dychryn a syndod. 'Elen Tŷ Clotas, syr? Ond mae Elen wedi . . .'

Allai e ddim gorffen y frawddeg. Aeth ei feddwl 'nôl i'r prynhawn hwnnw, pan oedd wedi gweld â'i lygaid ei hunan y bwthyn yn llosgi a'r to'n wenfflam yn disgyn ar ben yr hen greadures.

'Ond rwy'n dweud wrtho ti 'mod i wedi'i gweld hi ar y lawnt funud yn ôl â chyllell hir yn 'i llaw hi, yn pwyntio tuag ata i? Wyt ti'n fy amau i?'

'Ond syr, fe welson ni fwthyn Elen yn llosgi a hithe ynddo.'

Edrychodd y ddau ar ei gilydd.

'Dduw Mawr!' meddai'r sgweier, ac eisteddodd yn swp yn y gadair. Estynnodd ei law'n frysiog am y botel ddu ar y bwrdd a chododd hi at ei wefusau crynedig. Yfodd yn hir cyn ei thynnu o'i geg wrth i'r stiward ei wylio trwy gil ei lygaid.

'Syr,' meddai, 'os ca' i ddweud, syr, falle mai'r gwin . . .'

Edrychodd Syr Tomos ar y botel yn ei law yna taflodd hi oddi wrtho i ben draw'r stafell.

'Cer i chwilio'r coed ymhen draw'r lawnt,' meddai.

Gwelodd wyneb y stiward yn gwelwi.

'Oes ofn arnat ti? Os wyt ti'n credu mai'r gwin sy wedi effeithio ar y llygaid 'ma, i beth wyt ti'n ofni mynd i chwilio'r coed?'

Agorodd y stiward ei geg ond ddywedodd e ddim gair.

'Gofyn i un o'r ciperiaid ddod gyda ti,' meddai Syr Tomos, a synnodd y stiward fod ei lais mor fwyn. Aeth am y drws yn frysiog.

'Dwed wrth y forwyn am ddod â photel arall o win i mi ar unwaith,' meddai Syr Tomos, wrth iddo fynd drwy'r drws.

Ond aeth y stiward a'r ciper ddim i chwilio'r coed y noson honno. Roedd Wil Gruffydd yn teimlo'i fod wedi gweld digon y prynhawn hwnnw i wybod bod Elen Tŷ Clotas wedi llosgi gyda'i bwthyn. Felly os oedd Syr Tomos wedi gweld rhywbeth ar y lawnt, roedd yn rhaid mai ysbryd oedd e wedi'i weld, ac yn sicr doedd e ddim yn bwriadu mynd i'r coed yn y nos i chwilio am ysbrydion.

Pennod 13

O flaen tân coed ynn mawr ym Mhlas y Dolau, Tregaron roedd Ledi Eluned yn eistedd wrthi'i hunan hefyd. Yn ei chôl roedd darn o frodwaith cywrain ar ei hanner ond doedd ei meddwl ddim ar frodio'r funud honno. Edrychodd yn freuddwydiol i'r tân â'i dwy law'n segur ar freichiau'r gadair. Roedd fflamau'r tân yn taflu'u gwrid ar ei hwyneb tlws gan wneud iddi edrych yn harddach hyd yn oed nag arfer.

Roedd hi'n meddwl am Twm. Ble roedd e? Ble roedd e? A oedd e'n cuddio mewn rhyw ogof neu goedwig yn rhywle â'r fwled yn ei goes yn ei boeni? A oedd e'n ceisio cyrraedd Tregaron y funud honno? Efallai'i fod e'n gorwedd yn rhywle heb fod ymhell. Crynodd ei gwefus a gloywodd deigryn ei llygad wrth feddwl am y fath beth.

Yna dechreuodd holi iddi ei hun pam roedd Twm mewn rhyw fath o drwbwl byth a hefyd? Roedd dynion eraill yn llwyddo i osgoi trwbwl yn eithaf dda, ond roedd Twm yn 'i chanol hi o hyd ac o hyd.

Fe fyddai rhai'n meddwl mai arno e roedd y bai; ond wrth feddwl dros bethau yn nhawelwch ei stafell gallai weld na fyddai Twm wedi gallu gwneud dim yn wahanol. Allai e ddim dioddef edrych y bachgen – Arthur – yn ei wyneb a dweud nad oedd yn fodlon gwneud dim i achub ei dad. Ysgydwodd ei phen a daeth hanner gwên fach drist i'w hwyneb. 'Mae'n rhaid bod Twm yn un o'r rhai sy'n tynnu trwbwl, fel gwenyn at bot mêl,' meddai yn 'i meddwl.

Ond O! Ble roedd e? Byddai'n rhoi'r byd am gael gwybod y funud honno. A beth oedd wedi digwydd i dad Arthur?

Roedd hi wedi cadw'r bachgen yn y plas y noson honno, a nawr roedd e gyda Rhys y gwas bach yn rhywle. Roedd hi'n benderfynol na fyddai'n cael aros ym Mrynglas rhag ofn y byddai gweision Syr Tomos yn dod i achosi trwbwl i Cati, mam Twm. Hefyd roedd hi am gadw'r bachgen yn y plas fel y gallai'i amddiffyn pe bai angen.

Roedd hi'n teimlo piti mawr dros Arthur. Doedd hi ddim yn hawdd ei gysuro ond trwy ddweud y byddai Twm Siôn Cati'n siŵr o gael ei dad yn rhydd o afael Syr Tomos. Roedd ganddo ddigon o ffydd i gredu y gallai Twm wneud hynny, ac felly roedd hi wedi gofalu peidio â dweud wrtho fod Twm yn gorwedd yn rhywle â bwled yn ei goes. Y prynhawn hwnnw ar ôl i Syr Tomos a'i ddynion fynd, roedd hi wedi dangos y stablau iddo, ar ôl deall fod ganddo ddiddordeb mewn ceffylau. Gwnaeth hyn er mwyn ceisio gwneud iddo anghofio'i ofidiau am ychydig.

Roedd wedi gadael iddo weld y gaseg enwog a oedd wedi curo ceffylau gorau Lloegr mewn mwy nag un ras. Cofiodd yr olwg yn ei lygaid pan welodd hi gyntaf. Edrychodd yn syn ar y creadur hardd fel pe bai'n methu â thynnu ei lygaid oddi wrthi. Roedd wedi cerdded o'i chwmpas a siarad â hi a thynnu'i law dros ei chot ddu, loyw, er iddi hi'i rybuddio nad oedd y gaseg yn rhy hoff o bobl ddierth. Ond roedd y gaseg ddu wedi hoffi'r bachgen ar unwaith ac wedi rhwbio'i thrwyn melfed ynddo i ddangos hynny. Ac roedd Arthur wedi gwenu ar Ledi Eluned wrth weld hyn, a dyna'r wên gyntaf ers i'w dad gael ei gipio gan y cwnstabliaid! Dyna wnaeth iddi ofyn iddo a fyddai'n hoffi marchogaeth y gaseg, ac wrth ei weld yn meddwl – awgrymodd y byddai'n dda i'r gaseg gael tipyn o awyr iach a chyfle i ymestyn ei choesau. Yna roedd Rhys y gwas bach wedi'i helpu i roi cyfrwy ar y gaseg ac roedd yntau wedi'i marchogaeth ar draws y caeau tu ôl i'r plas. Pan ddaeth e 'nôl roedd lliw yn ei fochau a gwên ar ei wefusau. Beth oedd e wedi'i ddweud? 'Diolch Mei Ledi, do'n i ddim yn gwybod ceffyl yn y byd yn gallu mynd fel'na.' Ac wrth ei weld yn trin y gaseg falch mor hawdd, roedd hithau wedi dweud, 'Dim pawb sy'n cael yr hawl i fynd ar 'i chefn hi, cofiwch. Mae hi'n dewis 'i ffrindie'n ofalus. A phe bai hi'n dechrau cymryd yn eich erbyn, yna dyna hi ar ben – fyddech chi byth yn gallu'i marchogaeth hi.' Yna, wedi gweld fod y gaseg hardd 'nôl yn ddiogel yn y stabl, roedd hi wedi'i adael e a Rhys i ddod i nabod ei gilydd yn well, ac wedi mynd i'r plas.

Nawr, wrth edrych i lygad y tân a gwrando sŵn y gwynt yng nghorn y simnai, roedd hi'n ceisio dyfalu beth fyddai diwedd yr holl helynt hwn eto.

Yn sydyn, safodd Ledi Eluned i fyny'n syth yn ei chadair esmwyth. A oedd hi wedi clywed rhyw sŵn dieithr tu allan i'r ffenest? Neu ai sŵn y gwynt oedd e? Clustfeiniodd, â'i chalon yn curo fel morthwyl. Yna clywodd y sŵn eto – yn gliriach y tro hwn. Roedd rhywun neu rywbeth tu allan i ffenest y stafell. Neidiodd ar ei thraed. A oedd Twm wedi cyrraedd 'nôl o Lanbed o'r diwedd? Yna clywodd guro ysgafn ar y gwydr. Rhedodd at y ffenest a thynnodd y llenni trwchus 'nôl gan ddisgwyl gweld wyneb cyfarwydd Twm Siôn Cati. Ond nid un wyneb oedd yno ond dau, ac roedd y ddau'n ddieithr i Ledi Eluned. Am eiliad meddyliodd fod rhywbeth o le ar ei llygaid a'i bod yn gweld pethau'n ddwbwl, oherwydd roedd y ddau wyneb y tu allan mor debyg i'w gilydd ag y gallai dau wyneb fod.

Nawr roedd Ledi Eluned mewn penbleth ac wedi dychryn wrth weld dau wyneb yn dynn wrth y gwydr yn edrych i mewn arni. Doedd y ffaith fod y ddau wyneb yn gwenu yr un ffunud â'i gilydd, ddim yn gwella pethau rhyw lawer chwaith.

Yna gwelodd y ddau'n gwneud arwyddion iddi

agor y ffenest. Arhosodd am dipyn, ond wedyn meddyliodd fod ganddi ddigon o weision a morynion wrth gefn i'w hamddiffyn pe bai angen yn codi.

'Beth yw'ch neges chi?' gofynnodd yn uchel er mwyn i'w llais dreiddio trwy'r gwydr.

Gwelodd y ddau tu allan yn tynnu wynebau arni, ond allai hi ddim clywed os oedden nhw'n ceisio dweud rhywbeth ai peidio.

Agorodd y ffenest.

'Pwy . . ?' dechreuodd.

'Ry'n ni wedi dod i nôl y gaseg,' meddai un.

'I Twm Siôn Cati,' meddai'r llall.

Agorodd Ledi Eluned ei llygaid led y pen. Gallai deimlo'i chalon yn curo. Roedd e'n fyw felly!

'Ble mae Twm?' gofynnodd. Edrychodd y ddau ar ei gilydd. 'Mae'n cwato,' meddai un.

'Mewn tŷ,' meddai'r llall.

'Ydy e'n iawn?' gofynnodd hithau.

'Mae e wedi troi'i bigwrn,' meddai un.

'Wrth gwympo,' meddai'r llall.

'Ond ro'i wedi clywed 'i fod e wedi cael 'i saethu yn 'i goes.'

Ysgydwodd y ddau eu pennau gyda'i gilydd.

'Y'ch chi'n siŵr?' Wrth weld y pennau'n mynd i fyny ac i lawr roedd y ddau'n berffaith siŵr!

'Pwy y'ch chi'ch dau?' gofynnodd Ledi Eluned.

'Idris.'

'Ifor.'

Gwenodd Ledi Eluned. 'Efeilliaid?'

'Ie,' meddai'r ddau gyda'i gilydd gan wenu.

'Ac mae Twm wedi gofyn am y gaseg? Oes un ohonoch chi'n gyfarwydd â thrin ceffylau?'

Ysgydwodd y ddau eu pennau.

'Dau brentis y'n ni,' meddai un.

'Dau brentis gyda Ianto'r Gweydd,' meddai'r llall.

'Wel, rwy'n ofni efallai y bydd y gaseg yn eich taflu chi. Dyw hi ddim yn rhy hoff o bobl ddierth ar y gore. Sut daethoch chi 'ma?'

'Asyn Siôn Tincer.'

'Oeddech chi'ch dau ar gefn yr un asyn?'

'Am yn ail.'

Gwenodd Ledi Eluned. Roedd hi mor falch o glywed fod Twm yn ddiogel, ac nad oedd e wedi cael ei saethu wedi'r cyfan.

'Sut mae dweud y gwahaniaeth rhyngoch chi'ch dau?' gofynnodd.

Rhoddodd un ohonyn nhw ei fys ar ei ên. Gwelodd Ledi Eluned graith wen ar draws y croen brown.

'Draenen ddu pan oedd e'n fachgen,' meddai'r llall.

'Fi yw Idris,' meddai perchen y graith.

'Ble mae Twm?' gofynnodd Ledi Eluned. Edrychodd yr efeilliaid ar ei gilydd. Yna rhaid eu bod wedi dod i ryw gytundeb â'i gilydd heb ddweud yr un gair, oherwydd dywedodd Idris, 'Mae e yn nhŷ'r gweydd yn ymyl yr afon yn Llanbed.'

Edrychodd Ledi Eluned yn syn. 'Ond sut . . ? Fe ddwedodd Syr Tomos 'i fod e wedi chwilio'r tŷ!'

'Fe daflon ni e i bwll y rhod,' meddai Ifor gan wenu.

Ysgydwodd Ledi Eluned ei phen mewn penbleth.

'Wel, p'un ohonoch chi sy'n mynd i farchogaeth y gaseg?'

Edrychodd y ddau ar ei gilydd eto, ac am y tro cyntaf gwelodd Ledi Eluned arwyddion eu bod yn mynd i anghytuno.

'Ti,' meddai Ifor.

'Fe gei di,' meddai Idris.

'Am yn ail,' meddai Ifor, wedi meddwl am ychydig.

Ysgydwodd Ledi Eluned ei phen. 'Fe fydd rhaid i chi gerdded gyda'r gaseg dyna i gyd.'

'Ond mi fyddwn ni oriau ar y ffordd,' meddai Idris.

Sylweddolodd Ledi Eluned nad oedd y ddau yma'n debyg o gael y gaseg i Lanbed am oriau lawer. Yna cofiodd am Arthur, oedd wedi marchogaeth y gaseg y prynhawn hwnnw. A allai hi fentro gadael iddo fynd â hi drwy'r tywyllwch i Lanbed? A fyddai perygl iddo gael ei ddal? Ond pwy fyddai'n berchen ceffyl digon cyflym i'w ddal?

'O'r gorau,' meddai wrth y ddau. 'Fe wna i yrru rhywun â'r gaseg i Lanbed.'

'Ond . . .' meddai Idris.

'Nawr dewch mewn i chi gael bwyd cyn cychwyn ar eich taith tua thre.' Roedd hi wedi penderfynu. Agorodd y ffenest led y pen er mwyn i'r ddau gael camu i mewn i'r stafell. Edrychodd y ddau ar ei gilydd yna ceisiodd un wthio'r llall i mewn yn gyntaf. Aeth Ledi Eluned at raff y gloch a thynnodd hi. Roedd sŵn cloch yn tincial yn isel i'w glywed ym mherfeddion yr hen blas. Cyn pen fawr o dro dyna gnoc ar y drws a daeth morwyn â chap gwyn fel yr eira ar ei phen, i mewn i'r stafell.

'Mei Ledi?' Erbyn hyn roedd y ddau efaill wedi dod i mewn drwy'r ffenest. Pan welodd y forwyn nhw, edrychodd yn syn.

'Mei Ledi?' meddai hi wedyn.

'Mae'r ddau yma wedi dod â newyddion i fi o Lanbed, Megan,' meddai ei meistres. 'Ac rwy am iddyn nhw gael pryd o fwyd cyn dechrau ar eu taith 'nôl.'

'O'r gore, Mei Ledi – lawr yn y gegin.'

'Na, Megan, dwi ddim am i bawb 'u gweld nhw. Ac rwy'n siŵr na fyddwch chi'n sôn eich bod chi wedi gweld neb.'

Bowiodd y forwyn, ac roedd Ledi Eluned yn ei hadnabod yn ddigon da i wybod na fyddai hi'n sôn gair wrth neb am y ddau yma oedd mor debyg i'w gilydd, ac a oedd, rywsut, wedi ffeindio'u ffordd i stafell orau'r plas heb yn wybod i neb!

'Dewch â bwyd i fyny ar hambwrdd, Megan, os gwelwch chi'n dda.'

'Ar unwaith Mei Ledi.'

'O ie – un peth arall, Megan – rwy am i chi ddod ag Arthur yma ar unwaith hefyd, os gwelwch chi'n dda.'

Aeth y forwyn allan.

Pennod 14

Roedd yr efeilliaid wedi mynd. Wedi iddyn nhw wrthod yn lân â bwyta dim byd tra oedd Ledi Eluned yn gwylio, doedd dim amdani ond gadael iddyn nhw ddianc drwy'r ffenest â'r bwyd yn eu dwylo – i'w fwyta yn y tywyllwch yn rhywle ar y ffordd adre i Lanbed. Roedd swildod y ddau wedi codi chwerthin ar y forwyn, ac roedd Ledi Eluned hefyd wedi gorfod gwenu wrth eu gweld nhw'n edrych mor anesmwyth.

Erbyn hyn roedd y forwyn wedi mynd hefyd a dim ond Arthur a gwraig ifanc y plas oedd yn y stafell.

'Mae Twm wedi anfon neges ei fod am gael y gaseg ddu,' meddai Ledi Eluned.

'Gawsoch chi ryw newydd beth sydd wedi digwydd i 'Nhad, gan y ddau yna?' gofynnodd Arthur.

Teimlodd Ledi Eluned yn anesmwyth iawn. Rhag cywilydd iddi na fyddai hi wedi holi hanes ei dad i'r ddau cyn iddyn nhw fynd!

'Na,' meddai. 'Doedd ganddyn nhw ddim newyddion am dy dad. Ond mae'n debyg fod Twm wedi bod yn y plas; efallai y bydd ganddo fe ryw wybodaeth. Mae e wedi brifo'i droed mae'n debyg, a rhaid iddo gael y gaseg cyn gall e adael Llanbed.'

'Ydyn nhw ar 'i ôl e?'

'Dim syniad. Ond rwy am i ti wneud rhywbeth drosto.'

Cododd Arthur ei ben.

'Rwy am i ti fynd â'r gaseg i Lanbed.'

'Fi?'

'Ie, does neb arall y galla i ymddiried ynddo fe. Rwyt ti'n gwybod y ffordd, ac yn nabod y gaseg hefyd erbyn hyn, ac mae hynny'n bwysig. Peth arall dwyt ti ddim yn rhy drwm i'r gaseg allu cario'r ddau ohonoch chi ar y ffordd yn ôl."

'Pryd wyt ti am i mi fynd, Mei Ledi?' gofynnodd Arthur.

Sylweddolodd Ledi Eluned ei fod yn galw ti arni, er mai chi oedd hi'n gynharach yn y prynhawn.

'Heno, nawr ar unwaith. Wyt ti'n gwybod ble mae Ianto'r Gweydd yn byw yn Llanbed?'

'Ydw. Mae'n byw yn y stryd fach 'na heb fod ymhell o'r afon.'

'Wyt ti'n gwybod sut mae cyrraedd y lle heb fynd trwy strydoedd y dre?'

'Rwy'n meddwl bod 'na lôn yn troi i'r chwith yn ymyl tafarn Troed-y-rhiw. Os dilynna i honno fe ddylwn i ddod allan yn ymyl yr afon.'

'Rhaid i ti fod yn ofalus na fydd neb yn dy weld. A rhaid i ti beidio a chael dy ddal, cofia.'

'Rwy'n barod i fynd, Mei Ledi,' meddai Arthur gan godi ar ei draed.

'Rhaid i ti wisgo digon amdanat hefyd – mae'n noson oer iawn.'

'Dim ond y dillad 'ma sy gen i.'

Meddyliodd Ledi Eluned am eiliad. 'Fe gei di fentyg cot fawr Rhys y gwas bach,' meddai wedyn.

'Ydy hi'n saff i ddweud wrtho . . .'

'Fe ddweda i dy fod di'n mynd i Lanbed ar neges drosof fi. Dere nawr 'te.'

Cerddodd y tri i mewn trwy ddrws mawr y stabl. Roedd gan Rhys lamp yn ei law, ac am fod Ledi Eluned ac Arthur yn cerdded ychydig o'i flaen, roedd eu cysgodion ar waliau'r stabl yn fyw ac yn anferth. Daethon nhw at y fan lle roedd y gaseg. Disgleiriodd ei llygaid yn y golau wrth iddi droi'i phen i weld pwy oedd yno. Roedd ei chot ddu'n disgleirio hefyd, fel glo newydd ei dynnu o'r ddaear. Gweryrodd yn isel, ac roedd Arthur, a oedd yn adnabod ceffylau, yn gwybod mai sŵn bach cyfeillgar oedd hwnnw. Tynnodd Rhys y cyfrwy oddi ar y wal.

'Fe gei di roi'r ffrwyn am ei phen,' meddai wrth Arthur.

Cydiodd Arthur yn y ffrwyn ac aeth yn bwyllog at ben y gaseg ddu. A oedd hi'n mynd i adael iddo roi ffrwyn arni? Gwyliodd y ddau lygad du mawr e'n dod yn nes. Yna dyma'r pen balch yn mynd i fyny o gyrraedd breichiau'r bachgen. Taflodd y ffrwyn ar ei fraich a dechreuodd dynnu'i law'n ysgafn dros ei gwddf llyfn. Yna dechreuodd siarad yn dawel â hi, gan anghofio bron yn llwyr fod Ledi Eluned a Rhys yn gwrando.

'Dere di, dere di. Ie caseg bert wyt ti . . . caseg bert wyt ti . . .' Gostyngodd y gaseg ei phen a llwyddodd y bachgen i gael y ffrwyn arni fel petai hynny'r peth hawddaf yn y byd. Yna rhoddodd e a Rhys y cyfrwy arni a thynnodd Arthur y gwartholion i fyny ychydig cyn cychwyn ar y daith hir i Lanbed gan fod ei goesau dipyn yn fyrrach na rhai Twm Siôn Cati.

'Paid aros i siarad â neb,' meddai Ledi Eluned. 'Os bydd rhywun yn ceisio dy rwystro di, rhaid i ti ddibynnu ar y gaseg i ddianc oddi wrthyn nhw. A gofala na fydd dim yn digwydd i ti neu fydda i byth yn gallu maddau i mi fy hun am dy anfon di ar y daith unig i Lanbed ar hyd nos fel hyn.'

Arweiniodd Arthur y gaseg allan i'r iard. Dilynodd Rhys â'r lamp yn ei law. Rhoddodd Arthur ei ddwylo ar y gaseg a chydiodd Rhys yn ei droed a'i daflu'n ysgafn i'r cyfrwy. Dechreuodd y gaseg gamu yn ei hunfan fan honno ond cheisiodd hi mo'i daflu. Anesmwytho, eisiau mynd roedd hi.

'Wyt ti eisiau'r lamp?' gofynnodd Rhys. Estynnodd Arthur ei law, yna newidiodd ei feddwl.

'Na gwell i mi fynd hebddi. Dim ond tynnu sylw ata i fy hunan wna i wrth fynd â lamp wrth y cyfrwy.'

'Siwrnai dda i ti, a brysiwch 'nôl,' meddai Ledi Eluned.

'Edrych ar ôl 'y nghot i!' gwaeddodd Rhys.

Yna carlamodd y gaseg allan o'r iard i'r heol, a chyn hir roedd sŵn y carnau wedi mynd yn rhy bell i'r ddau ar y clos ei glywed. Yna aeth Ledi Eluned 'nôl i'r tŷ ac aeth Rhys i gau drws mawr y stabl.

Pennod 15

Roedd Arthur yn gwybod na fyddai'n anghofio'r daith honno drwy'r tywyllwch i dref Llanbedr Pont Steffan tra byddai byw. Marchogaeth y gaseg enwog yma, a honno'n mynd fel y gwynt, oedd y peth mwyaf cyffrous i ddigwydd iddo. Nawr, ac yntau'n nesáu at ben ei daith, roedd yn barod i gyfaddef iddo deimlo tipyn o ofn cyn cychwyn o Dregaron. Roedd yn ofni y byddai'r gaseg yn ei daflu, a doedd e ddim yn siŵr ei fod e'n farchog digon profiadol i sefyll ar ei chefn tra oedd hi'n carlamu i ffwrdd.

Ond roedd aros ar gefn y gaseg ddu wedi bod yn haws nag a feddyliodd. Roedd hi'n rhedeg mor llyfn ac mor rythmig nes gwneud i Arthur deimlo'i fod yn rhan o'r symud. Allai e ddim llai nag edmygu'r ffordd roedd hi'n difa'r milltiroedd rhyngddi a Llanbed; roedd hi'n rhedeg mor gyflym nes gwneud iddo deimlo ar y dechrau ei fod yn cael trafferth i gael ei anadl. Roedd y gwynt oer yn rhuthro heibio i'w glustiau gan chwiban, ac yn boddi sŵn carnau'r gaseg ar y ffordd galed i raddau. Erbyn hyn roedd yn falch o got dew Rhys i gadw peth o'r oerfel allan.

Aeth trwy bentref bach Llangybi heb yn wybod iddo'i hunan. Dim ond goleuadau gwan ffenesti'r tai a chysgod un tŷ go fawr ar y tro yn y ffordd oedd i'w gweld. Yna roedd y gaseg yn rhedeg trwy'r wlad agored unwaith eto. Doedd y lleuad ddim wedi codi eto ond roedd yr awyr yn glir ac yng ngolau gwan y sêr gallai weld cysgod y cloddiau ar bob ochr i'r ffordd a chysgod ambell hen goeden fawr yn rhuthro tuag ato o'r tywyllwch.

Draw yn y dwyrain roedd yr awyr yn olau a'r lleuad ar fin codi.

'Mae hi siŵr o fod yn llawn heno neu nos yfory,' meddai wrtho'i hunan. Fel y rhan fwyaf o bobl y wlad, roedd Arthur yn sylwi ar bethau felly.

Wrth fynd heibio i'r hen fwthyn lle roedd e a'r crythor wedi aros i gael bwyd daeth arogl mwg i'w ffroenau a synnodd weld fod to'r bwthyn wedi cwympo.

Wrth ddod yn nes at Lanbed ffrwynodd dipyn ar y gaseg rhag ofn y byddai gweld a chlywed ceffyl yn rhedeg mor gyflym yn gwneud i bobl gredu fod rhywbeth ar droed. Nawr hefyd roedd e'n ofni y byddai un o gwnstabliaid y dref neu rai o ddynion Syr Tomos yn ei stopio a'i holi. Pe bai e a'r gaseg yn methu â chyrraedd pen eu taith yna fe allai pethau fod yn anodd iawn ar Twm Siôn Cati.

Roedd y lleuad wedi codi'n llawn erbyn hyn gan wneud y nos yn olau. Ond doedd dim llawer o bobl o gwmpas. Roedd gwynt oer yn chwythu o'r gogledd a'r rhan fwyaf o bobl, wedi blino ar ôl gwaith y dydd, nawr yn eistedd wrth dân yn eu tai, a'r llenni wedi'u tynnu dros y ffenestri. Weithiau byddai ambell deithiwr unig yn pasio ar y ffordd – gwas fferm neu fugail neu borthmon – ond roedd e mewn gormod o frys i dorri gair â neb.

Daeth at ben y lôn oedd yn arwain i lawr at lan yr afon gan osgoi'r dref. Trodd ben y gaseg, a nawr roedd coed tal, trwchus yn tyfu ar bob ochr, ac roedd hi'n dywyll am fod rheini'n taflu cysgod ar y lôn.

Cerdded oedd y gaseg nawr, a gan fod y lôn yn lleidiog ac yn llaith doedd ei charnau ddim yn gwneud fawr o sŵn.

Daeth y ddwy res o goed ar bob ochr i ben yn sydyn. Nawr gallai weld yr afon wrth olau'r lleuad, fel rhuban arian yn llifo fan draw. Roedd Arthur yn gwybod yn iawn ble roedd e nawr. Ychydig yn uwch i fyny, pe bai golau'r lleuad yn ddigon cryf, fe allai weld waliau gwyngalchog Cwmbychan. Daeth ton o hiraeth drosto wrth feddwl na fyddai'n gallu mentro yno heno i weld ei dad, ac na allai gysgu yn yr hen stafell wely gyfarwydd. Roedd y lôn nawr wedi cyrraedd llwybr troed oedd yn arwain at y bythynnod bychan rhwng yr afon Teifi a'r dref.

Cerddodd y gaseg yn gyflym ar draws y ddôl wastad. Erbyn hyn gallai Arthur weld cefnau a thoeon isel y bythynnod yng ngolau'r lleuad. Dechreuodd feddwl beth oedd e'n mynd i'w wneud â'r gaseg tra byddai'n mynd drwy'r bwlch yn y clawdd at ddrws ffrynt tŷ'r gweydd, oherwydd roedd yn ddigon call i wybod na fyddai'n syniad da i fynd â'r gaseg i fyny'r stryd. Byddai sŵn carnau ceffyl yn y fath le yr amser hwnnw o'r nos yn siŵr o ddenu'r cymdogion allan i ben y drysau i weld beth oedd yn bod.

Gwelodd lwyn bach yn nghefn un o'r bythynnod a throdd ben y gaseg tuag ato, gan feddwl taflu'r ffrwyn dros hwnnw i gadw'r gaseg rhag dianc wrth iddo roi gwybod i Twm ei fod wedi cyrraedd.

Roedd bron â chyrraedd y llwyn pan stopiodd y gaseg yn stond. Teimlodd Arthur rhyw gryndod yn mynd trwy ei chorff i gyd. Gwasgodd ei sodlau i'w hochrau'n ysgafn, i geisio'i chael i fynd yn ei blaen, ond sefyll yn ei hunfan â'i phen yn yr awyr oedd y gaseg o hyd.

Dechreuodd Arthur synhwyro fod rhywbeth o le – fod yna berygl yn ymyl yn rhywle. Yna gwelodd rywbeth du'n codi o gysgod y llwyn ac yn camu tuag ato. Gweryrodd y gaseg yn uchel a chododd yn syth i'r awyr ar ei dwy goes ôl heb unrhyw rybudd o gwbwl. Syrthiodd Arthur i'r llawr cyn iddo gael cyfle i gydio'n dynnach yn y ffrwyn na dim. Gorweddodd ar y borfa wlithog am eiliad yn methu'n lân a sylweddoli beth oedd wedi digwydd iddo. Yna clywodd sŵn carnau'r gaseg yn rhedeg i ffwrdd ar draws y cae.

Cododd ar ei eistedd ac edrych o gwmpas.

Gwelodd ddwy goes fawr yn gyntaf, ac wedi edrych i fyny gwelodd ddyn mawr yn edrych i lawr arno. Yng ngolau'r lleuad gwelodd wyneb a yrrodd ias o ofn trwy asgwrn ei gefn, er bod y wyneb hwnnw'n gyfarwydd iddo.

Yng ngolau'r lleuad gwelodd mai Morgan yr Osler oedd yno. Roedd ar bawb o blant Llanbed ofn Morgan, hyd yn oed yng ngolau dydd. Yr eiliad honno, roedd e'n edrych yn fwy mileinig ac anifeilaidd nag erioed. Yn sydyn, cydiodd ei law fawr am war Arthur a'i dynnu ar ei draed. Tynnodd ei wyneb tuag ato a gallai Arthur weld ei geg fawr ar agor a'r poer gwlyb o gwmpas ei wefusau. Gallai hefyd deimlo'i anadl poeth ar ei wyneb. Gwnaeth yr osler ryw sŵn yn ei wddf nawr – rhyw sŵn dieiriau a oedd yn waeth ac yn fwy brawychus na bygythion Wil Gruffydd pan ddaeth hwnnw i 'nôl ei dad o Gwmbychan.

Teimlodd sgrech yn codi i dwll ei wddf, ond cyn gynted ag yr agorodd ei geg disgynnodd llaw fawr yr osler ar ei wyneb a prin gallu cael ei anadl oedd e.

Cododd yr osler e o dan ei gesail fel pe bai'n sach o datws, a chan gadw'i law fawr ar ei geg aeth at y bwlch oedd yn arwain i'r stryd – ac ymlaen i'r dref.

Sylweddolodd Arthur, druan, erbyn hyn ei fod wedi methu'n llwyr. Roedd wedi methu â chyrraedd Twm Siôn Cati cyn cael ei ddal gan un o weision ffyddlon y sgweier ac roedd y gaseg wedi gwylltio ac wedi rhedeg i rywle. Mwy na thebyg mai dynion

Syr Tomos fyddai'n dod o hyd iddi yn y bore, gan mai tir y sgweier oedd o gwmpas yr afon bron i gyd.

Teimlodd ddraenen yn cydio yn y foch wrth i'r osler ei gario allan i'r hen stryd wael lle roedd bwthyn y gweydd. O pe bai'n gallu gweiddi'r funud honno! Ond roedd y llaw yn dal ei gafael yn dynn ar ei geg.

Pennod 16

O flaen tân mawn siriol yn nhŷ'r gweydd roedd Twm Siôn Cati'n eistedd â'i droed ar yr hen sgiw dderw lle roedd Martha hefyd yn eistedd â blwch o eli yn ei llaw. Roedd hi newydd fod yn rhwbio'r eli ar bigwrn noeth Twm.

'Mae Leisa drws nesa'n tyngu fod yr eli yma'n gallu gwella unrhyw beth bron – yn enwedig chwydd fel sy gen ti yn dy bigwrn,' meddai Martha. 'Mae Leisa'n dweud mai eli Meddygon Myddfai yw hwn.'

Roedd Twm wedi clywed sôn wrth gwrs am y meddygon enwog hynny o sir Gaerfyrddin, er nad oedd wedi rhoi llawer o goel erioed ar yr hen chwedl eu bod yn blant i ryw forwyn a oedd wedi dod allan o Lyn y Fan Fach i briodi â bugail a oedd yn byw ar lan y llyn. Ond wrth deimlo'r eli'n lleddfu'r boen yn ei bigwrn roedd e'n ddiolchgar iawn i Martha a Leisa drws nesa amdano.

'Rwy'n teimlo'i fod wedi gwneud lles i mi'n barod,' meddai, gan roi'i droed ar y llawr a chodi o'i gadair a dechrau cerdded o gwmpas y stafell.

'Ydy myn brain i! Mae e wedi dechre gwneud 'i waith yn barod.' Aeth am dro arall o gwmpas y stafell – yn gyflymach y tro hwn ac roedd e'n falch ei fod yn gallu gwneud hynny heb fawr o boen.

'Y gwactha' yw,' meddai'r gweydd yn sarrug braidd, 'fe fydd hi Leisa'n dweud wrth bawb yn Llanbed fory 'i bod hi wedi rhoi benthyg yr eli gwyrthiol i Martha, ac fe fydd pobl – pobl y sgweier – yn dechre holi pam ac i beth.'

Yr eiliad honno daeth sŵn gweryru ceffyl i'w clustiau. Safodd Twm yn stond ar ganol y llawr.

'Y gaseg!' meddai. 'Y gaseg ddu!'

Edrychodd Martha a'i gŵr yn syn arno.

'Mae hi tu allan,' meddai Twm. 'Rwy'n nabod 'i sŵn hi.'

'Ond . . . mae'n rhy gynnar . . .' dechreuodd y gweydd.

'Na, mae hi yna. Rhaid i mi wisgo fy esgid ar unwaith – mae rhywbeth o le.'

'Na, na, aros di fan yma. Fe af fi i weld beth sy o le.'

'Ianto bydd yn ofalus,' meddai'r wraig fach dew, wrth i'r gweydd fynd am y drws. 'A gwell i ti fynd i gwato am dipyn nes bydd Ianto wedi gweld sut mae pethau,' meddai wrth Twm.

'Na,' meddai Twm. 'Dwi ddim yn mynd i gwato rhagor. Rwy am wisgo fy esgid . . .'

Agorodd y gweydd y drws yn ofalus. Yng ngolau'r lleuad gwelodd yr osler yn mynd heibio â rhywun yn gwingo o dan ei gesail.

'Aros!' gwaeddodd.

Safodd yr osler yn stond ar ganol y stryd a throdd ei ben yn araf i weld pwy oedd wedi gweiddi arno. Camodd y gweydd allan i ganol y stryd. Taflodd yr osler y bachgen i'r llawr. Yn ei feddwl cymysglyd roedd geiriau Syr Tomos . . . 'fe fydd rhaid cosbi'r gweydd . . .'

Am dipyn, llygadodd y ddau ddyn mawr ei gilydd ar ganol y stryd. Yna dechreuodd yr osler wneud y sŵn rhyfedd hwnnw yn ei wddf unwaith eto a dechreuodd symud yn nes at y gweydd. Roedd Arthur yn gorwedd ar y llawr lle roedd yr osler wedi'i daflu, yn edrych i fyny ar y ddau. Nawr roedd dwy law'r osler yn ymestyn fel dwy grafanc i gydio yn Ianto. Cododd y gweydd ei fraich heb un llaw i'w amddiffyn ei hunan a gwelodd Arthur y bachyn gloyw ofnadwy hwnnw'n fflachio yng ngolau'r lleuad. Gwelodd ddwy law anferth yr osler yn cau'n dynn am wddf y gweydd, yna gwelodd y bachyn arian yn mynd i fyny ac i lawr – ac i fyny eilwaith. Ond allai e ddim dioddef edrych eiliad yn rhagor. Trodd oddi wrth y sgarmes ofnadwy honno ac aeth ar ei draed a'i ddwylo ar draws y stryd ac i mewn trwy ddrws agored bwthyn y gweydd.

Martha oedd y cyntaf i sylwi arno. Agorodd ei llygaid led y pen pan welodd fachgen, dieithr iddi hi, yn cerdded i mewn ar ei bedwar a golwg ofnus a gwelw iawn arno.

'Pwy . . ?' Roedd Twm ag un droed ar gadair yn

ceisio cau ei esgid ar yr eiliad. Trodd ei ben a gwelodd Arthur yn cropian i mewn i r gegin.

'Arthur! Be sy wedi digwydd? Be sy'n bod arnat ti?'

Aeth Twm ato a'i godi ar ei draed.

'Dod â'r gaseg o'n i . . . o Dregaron . . . pan neidiodd Morgan . . .' Stopiodd wrth glywed sŵn traed trwm yn rhedeg i fyny'r stryd tu allan. 'Neidiodd Morgan y plas allan o'r clawdd a . . . a dychryn y gaseg. Mae wedi rhedeg i rywle . . .'

Cydiodd Martha ynddo a'i arwain at y tân.

'Eistedd di ar y sgiw fan hyn,' meddai hi'n garedig. Yna safodd i fyny'n syth gan edrych yn wyllt at y drws.

'Ydy Morgan a Ianto . . ?' gofynnodd gan droi at Arthur.

'Ydyn. Ac mae'r gaseg wedi gwylltio.'

'Dduw Mawr!' meddai Martha gan roi ei llaw yn ei cheg.

'Mi af fi i weld,' meddai Twm, gan symud at y drws. Ond cyn iddo'i gyrraedd roedd Ianto'r Gweydd yn sefyll o'u blaen. Roedd golwg ryfedd arno – ei lygaid yn loyw fel sêr a'i wyneb mor welw â chorff. Roedd ei wefusau ynghau'n dynn ac roedd e'n anadlu'n gyflym ac yn swnllyd drwy ei ffroenau. Pwysodd ar wal isel y bwthyn a chaeodd ei lygaid fel pe bai ar fin llewygu. Ond mewn eiliad agorodd nhw eto ac eisteddodd yn swp ar gadair.

'Roedd Morgan bron â 'nhagu i,' meddai, a'i lais yn swnio'n arw a chras fel crawc broga. Nawr ro'n nhw'n gallu gweld ei wddf yn goch lle roedd dwylo'r osler wedi'i wasgu.

'Ble mae e nawr?' gofynnodd Martha mewn dychryn. Roedd hi'n amlwg ei bod yn ofni clywed fod Ianto wedi'i ladd.

Ysgydwodd y dyn mawr ei ben. 'Mae e wedi mynd i fyny'r stryd am y plas. Er cofiwch, dw i ddim yn gwybod a fydd e'n fyw i weld y bore.' Cododd y bachyn gloyw ac edrychodd yn fanwl arno. Gallai pawb weld fod ei flaen yn goch gan waed.

'O!' meddai Martha.

'Fe neu fi oedd hi i fod heno, Martha. Ro'n i'n gwybod hynny oddi wrth y ffordd roedd e'n cydio yn 'y nghorn gwddf i. Fyddet ti ddim gweld dy ŵr yn gorwedd yn gelain ar y stryd tu allan fan'na rwy'n siŵr. Os bydd e'n fyw ar ôl heno, mi fyddai'n ddigon balch; ond os bydd e'n gorff cyn y bore, yna mi fyddai wedi'i ladd e wrth geisio amddiffyn fy mywyd fy hunan.'

Tynnodd y gweydd ei fysedd yn dyner dros ei wddf lle roedd olion bysedd yr osler i'w gweld yn eglur.

'Mae Arthur 'ma wedi dod â'r gaseg,' meddai Twm. 'Ond fe wylltiodd yr osler hi ac mae hi wedi rhedeg i rywle.'

'Ble mae'r efeilliaid?' gofynnodd Ianto.

'Maen nhw ar 'u ffordd 'nôl,' atebodd Arthur. 'Doedd yr asyn ddim yn gallu mynd mor gyflym â'r gaseg.' Stopiodd gan wybod ei fod yn siarad nonsens. Wrth gwrs nad oedd asyn yn gallu mynd mor gyflym â'r gaseg gyflymaf – efallai – yng Nghymru! Pam roedd e'n dweud pethau ffôl fel yna? Roedd ei ben yn teimlo'n ysgafn erbyn hyn, a roedd e'n gwybod yn ei galon mai digwyddiadau rhyfedd a dychrynllyd y noson honno oedd yn gyfrifol. Roedd yn teimlo fel rhoi ei ben ar fynwes gynnes Martha a chrio, gan ei bod yn edrych yn hen wraig fach mor garedig a deallus. Ond roedd e'n gwybod hefyd nad oedd am grio o flaen dynion cryf fel Twm a Ianto.

'Dere gyda fi i edrych am y gaseg,' meddai Twm wrtho, ar ôl munud o ddistawrwydd. Cododd Arthur oddi ar y sgiw ar unwaith. Roedd yn falch o'r cyfle i wneud rhywbeth.

'Gwell i chi gloi'r drws ar ôl i ni fynd allan,' meddai Twm, 'rhag ofn y daw rhywun o'r plas . . .'

'Os daw rhywun o'r plas 'ma heno, Twm,' atebodd y gweydd, 'fyddan nhw ddim yn mynd oddi yma'n iach, alla i fentro dweud wrthot ti.' Roedd ei lais yn chwerw a hawdd gweld ei fod wedi'i gyffroi drwyddo. 'Mae'r amser wedi dod i ni sefyll ar ein traed ein hunain, Twm. Fe all pobl dlawd, gyffredin fel ni ddiodde' llawer, ond mae 'na amser yn dod pan mae'n rhaid troi ac ymladd yn erbyn awdurdod. Mae'r amser hwnnw wedi dod – i ymladd nid i gloi drysau a chuddio mewn tyllau a chorneli fel llygod. Mae'n gywilydd i ni ein bod ni wedi diodde cymaint, rwy'n gallu gweld hynny nawr. Fydd bywyd ddim yn werth 'i fyw yn nhre Llanbed yma nes bydd y sgweier felltith yna wedi'i dynnu lawr i'r llawr!'

'Ianto!' meddai Martha, 'rhaid i ti beidio siarad fel'na.'

Gwnaeth Twm arwydd i Arthur ddod gydag e. Er ei fod yn cytuno'n llwyr â Ianto roedd e'n gwybod nad oedd yn syniad dweud dim rhwng y gŵr a'r wraig y funud honno.

Aeth y ddau allan a thrwy'r bwlch yn y clawdd i mewn i'r ddôl eang lle roedd Arthur wedi cwympo oddi ar gefn y gaseg. Doedd dim sôn amdani yn unman. Cerddodd y ddau gyda'i gilydd am dipyn, ond penderfynwyd mai gwell fyddai gwahanu er mwyn ceisio dod o hyd iddi yng nghynt.

'Rhaid i ni beidio â cholli ar ein gilydd chwaith,' meddai Twm. 'Arthur,' meddai wedyn, 'cyn i ni wahanu, e . . . sut oedd pethau yn Nhregaron? Oedd popeth yn iawn?'

'O oedd.'

'Pwy ddwedodd wrthyt ti am ddod â'r gaseg?'

'Ledi Eluned. Roedd hi wedi gadael i fi fynd ar 'i chefn hi yn y prynhawn. 'Rarswyd mae'n gallu mynd! Gobeithio down ni o hyd iddi, a gobeithio na ddaw dim niwed iddi.'

'Sut oedd Ledi Eluned?'

'Roedd hi'n gofidio tipyn.'

'O ie. Gofidio am beth?'

'Dim syniad,' meddai Arthur. 'Roedd hi wedi clywed dy fod ti wedi cael dy saethu rwy'n meddwl.'

'Wedi cael fy saethu?'

'Roedd Syr Tomos wedi dweud . . .'

'Fuodd y cythraul yn Nhregaron?'

'Do, ac yn y plas hefyd. Ro'n nhw'n edrych amdanon ni'n dau.'

'Roedd rhywun wedi gweld 'mod i'n gloff . . . ac fe feddyliodd y sgweier ei fod e wedi fy saethu pan own i'n dianc o'r plas . . .' meddai Twm yn feddylgar. 'Ydy Ledi Eluned yn credu hynny o hyd?'

'Na, mae'r ddau efell wedi dweud wrthi.'

'Diolch am hynny, a diolch am yr eli 'na hefyd. Mae 'mhigwrn yn iawn eto bron â bod.'

'Wyt ti wedi clywed be sy wedi digwydd 'i 'Nhad?' gofynnodd y bachgen.

'Mae e yng ngharchar Aberteifi. Ond fe'i cawn ni e oddi yno gei di weld.'

Yna gwahanodd y ddau, a phob nawr ac yn y man byddai Twm yn gweiddi'n isel er mwyn gwneud yn siŵr fod Arthur o fewn cyrraedd. Bob nawr ac yn y man hefyd byddai'n gweiddi enw'r gaseg, 'Dart! Dart!'

Rhaid eu bod wedi bod yn chwilio am yn agos i awr pan ddaethon nhw at ei gilydd eto. Doedd dim sinc na sôn am y gaseg yn unman. Ac erbyn hyn hefyd roedd cymylau trwm wedi gorchuddio'r lleuad, a doedd dim amdani ond mynd 'nôl i dŷ'r gweydd.

Pennod 17

Pan gyrhaeddodd y ddau fwthyn y gweydd unwaith eto, fe welon nhw fod Martha wrthi'n gwneud bwyd. Yn eistedd ar y sgiw yn ymyl y tân, a'i ddillad yn mygu yn y gwres, roedd dyn barfog, tenau, carpiog. Sylweddolodd Arthur pwy oedd e ar unwaith – y crythor! Ond roedd ei wyneb wedi newid cymaint! Roedd yr hen fywiogrwydd wedi mynd ac edrychai'r truan yn newynog ac yn flinedig iawn.

Cododd ei law ar Arthur serch hynny a cheisio gwenu, ond roedd ei wefusau'n graciau i gyd a phrin oedd hi'n bosib dweud p'un ai gwenu neu tynnu wynebau roedd e.

'Gawsoch chi'r gaseg?' gofynnodd Martha tra oedd hi'n arllwys powlen o laeth poeth o sosban a oedd ar y pentan.

'Naddo,' meddai Twm. 'Ac os na ddown ni o hyd iddi yn y bore, mi fydd gen i syniad go lew ymhle mae hi.'

'Gei di weld fod rhai o giperiaid y plas wedi dod o hyd iddi. Mae'r cythreuliaid yna o gwmpas drwy'r nos. Dwi ddim yn gwybod pryd mae'r taclau'n cysgu!' meddai'r gweydd yn chwerw. Roedd Twm yn cytuno mai dyna'r unig esboniad am ddiflaniad y gaseg.

Estynnodd Martha'r bowlen o laeth poeth i'r crythor ac aeth 'nôl at y bwrdd i dorri darn o fara barlys llwyd iddo hefyd. Wedyn edrychodd ar Arthur.

'Eistedd fan yma yn ymyl y dyn dierth machgen i. Gwell i ti gael rhywbeth yn dy fola hefyd neu fe fyddi mor wan â brwynen cyn y bore.'

Eisteddodd Arthur yn ymyl y crythor. Gwelodd fod drain a drysi yn glynu wrth ei ddillad a bod sawl rhwyg mawr yn ei drowsus a'i sanau. Yr eiliad honno roedd yn llowcio'r bara a'r llaeth heb gymryd unrhyw sylw o Arthur na neb.

'O ble ddaeth y gŵr bonheddig 'ma 'te?' gofynnodd Twm i'r gweydd.

'Cerdded mewn ddeng munud yn ôl wnaeth e, fel tae'n hanner dydd yn lle hanner nos. Roedd croeso iddo wrth gwrs. Wyt ti'n 'i nabod e?'

'Wrth gwrs, roedd e gyda ni'n mynd i'r plas. Beth ddaeth ohonot ti ar ôl i ni wahanu o flaen y plas?' gofynnodd Twm i'r crythor. Ond cyn i hwnnw gael amser i ateb dywedodd Martha, 'Rhaid iddo gael bwyd yn 'i fola cyn ateb yr un cwestiwn.'

Yn y distawrwydd a ddilynodd y geiriau hyn doedd dim i'w glywed ond sŵn y crythor yn drachtio'i laeth poeth ac yn cnoi ei fara barlys. Estynnodd Martha fowlen o laeth i Arthur wedyn a theimlai hwnnw ei fod wedi bod yn llawer rhy hir heb fwyd hefyd.

'Os yw'r gaseg yn y plas,' meddai Twm wrth y gweydd, 'fe fydd rhaid 'i chael hi oddi yno rywfodd. Chaiff hi ddim mynd i ddwylo Tomos Llwyd; byddai'n well gen i 'i saethu hi na hynny!'

'Fory fe fydd rhaid i ni wynebu'r sgweier,' meddai'r gweydd. 'Rwy wedi bod yn meddwl tra buoch chi allan. Rwy'n hollol siŵr fod yr amser wedi dod i sefyll ac ymladd dros ein hawliau yn erbyn drygioni'r dyn melltigedig 'na. Os na wnawn ni hynny bore fory, yna fe fydd ar ben arnon ni. Fe fydd y sgweier yn gwybod yn iawn pwy sy'n gyfrifol am yr hyn a ddigwyddodd i Morgan yr Osler. Fe fydd e'n gwybod yn iawn pwy sy'n ymladd â hwn.' Cododd ei fachyn dur i'r awyr wrth ddweud hyn. 'Ac mi fydd e'n dod ar fy ôl. Os caiff e fi i garchar fe fydd un yn llai i ymladd yn 'i erbyn e. Ond os gallwn ni 'i herio fe fory a'i erlid e, yna fe fydd siawns gyda ni am well bywyd yn yr hen dre 'ma o hyn ymlaen.'

Amneidiodd Twm i ddangos ei fod yn cytuno. Cytunai Arthur hefyd o waelod ei galon, oherwydd mai dyna'r unig siawns a oedd ganddo i weld ei dad yn fyw eto.

'Ond a oes yna ddigon o ddynion yn y dre sy'n ddigon dewr i ddod gyda ni? Cofia beth ddigwyddodd y tro diwethaf. Fe redodd y rhan fwya' ar unwaith. Dim ond tri a ddaliodd 'u tir pan ddaeth y sgweier i'r ffenest.'

'Ry'n ni'n bump o lcia bellach,' meddai'r gweydd. 'Chwech ddylwn i ddweud,' gan edrych ar Arthur, 'hynny yw, pan ddaw'r efeilliaid nôl o Dregaron. Does dim ofn dim ar y ddau yna. Ac rwy'n gwybod am bedwar neu bump yn y dre a fydde'n barod i sefyll gyda ni. Ac os gallwn ni gael y gore ar y sgweier unwaith, yna fe fyddai gyda ni ddigon o gefnogwyr.'

'Mae'n rhaid i mi ddweud does gyda fi fawr o ffydd yn nynion y dre,' meddai Twm. 'Mae arnyn nhw ormod o ofn Syr Tomos.'

'Cofia mai ar noson y ffair y gwnest ti drio mynd i'r plas, a dynion hanner meddw o dafarn y Castell oedd yn dy ddilyn di. Wrth gwrs 'u bod nhw wedi rhedeg! Ond mae'r rhain rwy'n sôn amdanyn nhw'n wahanol. Maen nhw fel finne wedi diodde'n arw oddi ar law'r sgweier – fyddan nhw ddim yn rhedeg.'

Roedd Martha wedi bod yn gwrando'n astud ar y siarad. Nawr torrodd ar draws ei gŵr yn ddi-amynedd.

'Beth ry'ch chi'ch dau'n geisio'i wneud? Y'ch chi wedi dechrau drysu? Ry'ch chi'n gwybod sut bydd hi os ewch chi i geisio herio'r sgweier? Naill ai fe gewch eich saethu fel cŵn neu fe gewch eich taflu i garchar ar eich pennau. A phe baech chi'n digwydd dianc, ry'ch chi'n gwybod na fedrech chi ddim dangos eich wynebau byth eto yn sir Aberteifi? Fe fydd rhaid i chi fynd i fyw'n wyllt yn y coedydd a'r ogofeydd fel llwynogod ac fe fydd y cwnstabliaid – falle'r milwyr – yn eich hela chi ddydd a nos. Hawyr bach, ry'ch chi'n wallgof i feddwl am y fath beth! Ianto,' meddai gan droi at ei gŵr, 'mae arna' i ofn gweld y wawr yn torri bore fory.'

'Rwy'n drigain oed Martha, ac ers ugain mlynedd rwy wedi byw mewn gobaith y gwelwn i'r dydd yn dod pan fyddai dial Duw yn disgyn ar Sgweier Ffynnon Bedr. Ac am ugain mlynedd mae Duw wedi gohirio dial . . .'

'Rhag dy gwilydd di'n rhyfygu fel'na!' meddai Martha gan godi ei llais. 'Rwyt ti'n ceisio dweud wrth yr Hollalluog beth i neud nawr wyt ti?'

'Mae'r sgweier wedi llosgi bwthyn Elen Tŷ Clotas,' meddai llais y crythor o'r gornel.

'Dduw Mawr!' meddai Martha.

Pennod 18

Roedd y crythor wedi gorffen ei fara a llaeth erbyn hyn ac roedd peth o'r bywiogrwydd wedi dod 'nôl i'w wyneb tenau.

'Ydy, mae'r sgweier wedi mynd yn rhy bell y tro 'ma. Mae e mewn cymaint o dymer ddrwg y dyddiau hyn fel nad oes dim gwahaniaeth gydag e pa ddrygioni i'w gyflawni.'

'Ond pam yr hen Elen?' gofynnodd Martha. Roedd pawb yn gwybod am yr hen wraig ryfedd yma, a rhai'n credu ei bod hi'n dipyn o hen wrach, ond y rhan fwyaf yn credu mai hen wraig dlawd a digon diniwed oedd hi.

'O roedd yr hen Elen yn arfer rhedeg allan i'r ffordd i weiddi melltithion ar Syr Tomos bob tro y byddai'n mynd heibio'r ffordd yna. 'Dyw pawb ddim yn gwybod fod yr hen Elen wedi bod yn ferch i ffarm go fawr lawr tua Llanybydder ffor'na unwaith. Mae'r ffarm erbyn hyn yn eiddo i Syr Tomos, wrth gwrs, ac mae Elen mor dlawd â llygoden eglwys. Ond chware teg iddi, hi oedd yr unig un a oedd yn ddigon dewr i herio Syr Tomos yn ei wyneb.

'Ati hi yr es i neithiwr ar ôl i bethau fynd o chwith yn y plas. Roedd rhaid i mi fynd rywle am dipyn o gysgod nes iddi fynd yn dywyll. Wel ro'n i'n eistedd yn y tŷ gyda'r hen wraig, ac roedd hi newydd ofyn i mi ganu . . . roedd yr hen greadur yn hoff iawn o ganu. Ond yn sydyn dyma hi'n codi ar ei thraed ac yn edrych yn wyllt tua'r drws.

'Mae e'n dod!' meddai hi. Do'n i ddim yn clywed dim. Ond roedd yr hen wraig yn siŵr. Ro'n i wedi sylwi o'r blaen – roedd hi fel petai'n gallu arogli Syr Tomos o bell.

'Mae e'n dod!' meddai hi wedyn. Ro'n i'n gwybod ei bod yn bryd i mi fynd oherwydd fe fyddai Syr Tomos yn siŵr o aros i archwilio'r tŷ. Ac fe feddylies yn sydyn y byddai hi'n well i'r hen wraig ddiflannu hefyd am dipyn, neu falle y byddai'r sgweier yn 'i dymer ddrwg yn gwneud niwed iddi. Ond i fod yn onest, falle mai'r ofn pennaf yn fy nghalon i ar y pryd oedd yr ofn y byddai'r hen wraig yn dweud wrthyn nhw 'mod i newydd fod yno. Nid bod ofn arna i y bydde hi'n fy mradychu cofiwch, ond mae hi wedi colli'r rhan fwyaf o'i synhwyrau druan, ac fe allai ddweud wrthyn nhw'n ddifeddwl. Fe geisiais fy ngorau ganddi ddod gyda mi i guddio yn rhywle nes byddai Syr Tomos a'i ddynion wedi mynd heibio. Ro'n innau'n gallu clywed sŵn ceffylau yn y pellter erbyn hyn. Ond roedd yr hen greadur yn gwrthod symud o'r fan. Roedd hi am redeg allan i'r ffordd i weiddi 'melltith' ar Syr Tomos.

'Fe wnes i ei hanner-llusgo hi allan o'r tŷ ac i'r ardd yng nghefn y bwthyn. Trwy lwc does dim gardd yno erbyn hyn – dim ond anialwch o bob math o chwyn a drain a drysi, a'r rheini wedi tyfu'n dal ac yn drwchus dros y lle i gyd. Roedd sŵn y carnau yn ymyl erbyn hyn, ac ro'n i'n gwybod nad oedd dim amser i fynd ymhellach na'r fan honno. Pe bawn i'n ceisio rhedeg ar draws y caeau byddai rhywun yn siŵr o'm gweld. Felly doedd dim amdani ond gorwedd yn ddistaw yng nghanol yr anialwch yng ngwaelod yr ardd. Roedd yr hen wraig yn gwingo eisiau codi ar ei thraed a finnau'n erfyn arni aros yn llonydd – er fy mwyn i.

'Fe stopiodd y fintai o flaen y bwthyn. Roedd yr hen wraig wedi tawelu tipyn nawr ac roedd hi'n gwrando'n astud ar y lleisiau aneglur a oedd yn dod o'r ochr arall i'r clawdd. Allen ni ddim ddeall beth oedd yn cael ei ddweud.

'Yna dyma lais yn gweiddi'n uchel, 'Elen tyrd allan!' Teimlais yr hen wraig yn gwingo yn fy ymyl fel neidr. Cydiais yn dynn yn ei braich a sibrwd wrthi am fod yn dawel.

Roedd distawrwydd wedyn am dipyn heb ddim i'w glywed ond sŵn carnau'r ceffylau'n taro'r palmant o flaen y bwthyn. Yna dyma lais yn gweiddi eto – yn uwch y tro hwn – 'Elen, yn enw'r gyfraith!' neu rywbeth tebyg. Yna llais arall, rwy'n meddwl mai llais Syr Tomos, yn gweiddi, 'Tyrd allan yr hen wrach!' Clywais yr hen wraig yn fy ymyl yn dechrau chwerthin wrthi'i hunan, yn ddistaw ar y dechrau – ac yna dyma hi'n torri allan i chwerthin yn wallgof dros y lle i gyd. Fe roddais fy llaw ar ei cheg, ond roedd hi'n rhy hwyr erbyn hynny. Ro'n i'n credu'n siŵr eu bod nhw wedi clywed y chwerthin a'u bod nhw'n mynd i ddisgyn ar ein pennau bob eiliad.

Ond er i ni glywed rhagor o sŵn siarad, ddaeth neb. Yna – ymhen ychydig – fe sylwais fod yr ardd yn olau i gyd, ac yna gwelais y fflamau, a sylweddoli fod y dihirod mileinig wrthi'n llosgi bwthyn yr hen wraig. Fe lonyddodd yr hen greadur wrth weld y tân. Fe gododd ar ei heistedd ac fe edrychodd yn hir ar y fflamau yn dringo i'r nen. Fel'ny y buodd hi nes gwelodd hi'r to yn cwympo'n ulw i mewn i'r tŷ. Yna dyma hi'n edrych arna i. Roedd golwg fileinig arni alla i ddweud wrthych chi! Wedyn dyma hi'n codi a rhedeg trwy dwll yn y clawdd. Weles i ddim cip ohoni wedyn. Ble treuliodd hi'r nos, dwi ddim yn gwybod. A yw hi'n fyw erbyn hyn, alla i ddim dweud. Roedd hi'n oer neithiwr – mi alla i ddweud hynny beth bynnag, waeth ro'n i allan drwy'r nos – ac fe allai'r oerfel fod yn ddigon i hen wraig fel hi.'

'Sut wnest ti gyrraedd yma?' gofynnodd y gweydd, a oedd wedi bod yn ysu am gael gofyn y cwestiwn ers tro.

'Gyda'r nos heno, fe fentrais i mewn i'r dre. Mae gen i rai ffrindie yn Llanbed. Fues i'n holi rhai cwestiynau'n ddistaw bach i hwn a'r llall. Fe ges y newyddion fod croeso yma debyg iawn i'r rhai a oedd yn ddig wrth y sgweier. Roedd rhaid i mi gael rhywle i fynd, ac roedd yn rhaid i mi hefyd ddod o hyd i rywrai a oedd, fel finnau . . .'

Stopiodd y crythor ar hanner y frawddeg. Edrychodd y lleill yn syn arno. Roedd ei ben wedi syrthio ar ei fynwes a'i lygaid wedi cau. Roedd e'n cysgu'n drwm.

Pennod 19

Dihunodd Syr Tomos Llwyd yn gynnar y bore wedyn. Roedd ei ben yn brifo'n arw – effaith y gwin a yfodd y noson gynt – ac roedd e'n teimlo'n ddi-hwyl ofnadwy. Cododd o'i wely a mynd at y ffenest i dynnu'r llenni. Edrychodd allan ar y lawnt yng ngolau'r bore cynnar. Roedd pobman yn edrych yn ddifywyd a di-liw. Cofiodd yn sydyn am yr olygfa ofnadwy a welodd y noson gynt ar y lawnt, ac aeth cryndod drwyddo i gyd. Ond ysgydwodd ei ben i gael gwared o'r meddyliau a oedd yn ei boeni; doedd e ddim yn credu mewn ysbrydion. Rhaid fod y stiward yn llygad ei le pan ddywedodd mai effaith y gwin oedd y cyfan. Ac eto . . .

Aeth at raff y gloch a'i thynnu. Daeth neb am dipyn, a bu raid iddo dynnu'r rhaff eto – yn ddi-amynedd y tro hwn. Yna clywodd sŵn traed ar y grisiau a daeth morwyn i mewn â golwg ryfedd ar ei hwyneb. Edrychodd yn ofnus ar Syr Tomos. Edrychodd hwnnw'n ôl arni a'i lygaid pŵl yn llawn dicter.

'Pan fydda' i'n canu'r gloch rwy'n disgwyl bod rhywun yn ateb,' meddai'n fygythiol. 'Falle fod eisiau chwip yr osler i ddysgu gwers i ti. Fe gawn ni weld cyn nos, y gnawes fach â ti!'

'Ond syr, mae'r osler . . .' stopiodd ar hanner brawddeg.

'Wel, beth am yr osler?'

'Mae e wedi . . . wedi . . . cael damwain . . .'

'Beth?' Cofiodd Syr Tomos ei fod wedi'i anfon y noson gynt i wylio tŷ'r gweydd.

'Ble mae e?'

'Mae e ar lawr, syr, mae e'n wael . . . yn wael iawn.'

'Be sy wedi digwydd iddo?'

'Dim syniad, syr. Dyw e ddim yn gallu dweud gair.'

Chwarddodd Syr Tomos yn gras.

'Dwi'n gwybod hynny'r ffŵl!'

'Dyw e ddim ar ddi-hun, syr.'

'Y nefoedd fawr! Oes rhaid i mi fynd i edrych cyn ca' i wybod be sy o le arno?'

Aeth Syr Tomos i lawr y grisiau yn ei wn nos hir a'i gap nos. 'Ble mae e?' gwaeddodd ar waelod y grisiau.

'Yn y gegin, syr; mae'r meddyg gydag e.'

Cerddodd y sgweier i mewn i'r gegin. Roedd yr osler yn gorwedd ar y llawr wrth ymyl y tân a dyn bach mewn cot ddu yn plygu drosto.

'Be sy'n bod arno, doctor?' gofynnodd Syr Tomos. Trodd y dyn bach ei ben ac edrychodd yn graff ar y sgweier.

'Mae rhywun wedi ymosod arno, Syr Tomos.'

'Wedi ymosod ar un o 'ngweision i!' Dechreuodd ofn gydio yn ei galon eto. Beth oedd yn digwydd y dyddiau hyn? Echnos roedd dyn wedi torri mewn i'w stafell a'i fygwth â phistol; neithiwr roedd e wedi gweld ysbryd ar y lawnt, a nawr dyma rywun wedi anafu ei was.

Edrychodd i lawr ar y dyn llonydd ar y llawr. Roedd staen dywyll, wlyb o gwmpas ei ysgwyddau ac roedd clwyf agored ar hyd ei foch o'i dalcen i'w ên.

'Mae e wedi colli llawer o waed,' meddai'r doctor.

'Pryd digwyddodd hyn?' gofynnodd y sgweier.

'Rhyw hanner awr yn ôl y gweles i e, syr,' meddai'r forwyn. 'Ro'n i'n dod i lawr y grisiau pan glywais i sŵn rhywbeth yn crafu'r drws tu allan. Ro'n i'n meddwl falle mai un o'r cŵn oedd eisiau dod mewn. Ond pan agorais i'r drws, roedd e'n gorwedd fan'ny. Roedd un o'r ciperiaid yn dod i fyny'r lôn ar y pryd, ac fe helpodd fi i' gael e mewn i'r tŷ, a fe aeth i nôl y doctor. Fe wnes i drio'ch dihuno chi gynnau, syr, ond roeddech chi'n cysgu.'

'Mae e wedi bod yn gorwedd rywle drwy'r nos synnwn i ddim,' meddai'r doctor. 'Ac mae e wedi colli tipyn o waed. Rhaid i ni dynnu ei got er mwyn trin 'i glwyfau e.'

'Cer i weiddi ar y stiward,' meddai Syr Tomos wrth y forwyn. 'Fe helpa i'r doctor.' Aeth y forwyn i ffwrdd.

Gyda chryn drafferth, tynnwyd ei got a'i ddillad

isaf oddi ar y dyn ar y llawr. Yna daeth ei glwyfau i'r golwg. Edrychodd y ddau'n syn arnyn nhw. Roedd y gwaed wedi stopio llifo erbyn hyn a rhifodd Syr Tomos bump, chwech, saith o frathiadau yn yr ysgwyddau mawr. A'r eiliad honno daeth darlun o fachyn dur, gloyw yn rhwym wrth fraich-heb-un-llaw i'w feddwl, a sylweddolodd ar unwaith pwy oedd yn gyfrifol am glwyfau'r osler. Teimlodd fraw yn ei galon eto. Aeth allan o'r stafell a 'nôl i'r llofft. Dechreuodd wisgo'n frysiog amdano. Roedd mewn tymer ddrwg fileinig. Ar ôl gwisgo, canodd y gloch a daeth y forwyn ar unwaith y tro hwn.

'Mae'r doctor yn dweud fod gobaith iddo fyw, syr.' Ond doedd gan y sgweier fawr o ddiddordeb yn y newydd yma.

'Y stiward,' meddai. 'Ble yn y byd mae e? Be sy'n bod ar bawb y bore yma?'

Ar ôl i'r forwyn fynd fe aeth i'r ffenest i edrych allan unwaith eto. Roedd hi'n gymylog a braidd yn niwlog. Crwydrodd ei lygaid ar draws y lawnt a dros y caeau i gyfeiriad yr afon. Gwelodd y cae sgwâr hwnnw yr oedd wedi ceisio'i berchnogi ers cymaint o amser, a dechreuodd feddwl mai o achos y cae yma roedd yr holl helynt wedi dechrau. Pe bai'n anfon neges y funud honno i geidwad y carchar yn Aberteifi, i ryddhau Siôn Morys, efallai y byddai pob terfysg yn nhre Llanbed yn gorffen. Ond doedd Syr Tomos ddim yn ddyn i ildio i neb. O na, fe fyddai'n dangos iddyn nhw pwy oedd y meistr!

'Ond am y tro,' meddyliodd, 'fe fydd cystal i mi fynd o'r ffordd. Fe af fi i Lundain am rai wythnosau. Mae awydd cael tipyn o sbort yn y brifddinas arna i eto. Mae'n ddi-fywyd iawn yn yr hen dre yma. Ac erbyn i mi ddod 'nôl fe fydd Siôn Morys wedi cael ei grogi ac fe fydd popeth wedi'i anghofio. Mae'n syndod mor fuan y mae pobl yn anghofio rhywun sy wedi mynd o'r hen fyd 'ma.' Gwenodd yn filain wrtho'i hunan.

Roedd e'n teimlo'n fwy hapus yn barod. Ond byddai rhaid setlo rhai pethau cyn mynd i fwynhau hwyl a sbri Llundain. Fe fyddai rhaid i'r cwnstabliaid ddelio â'r gweydd. Pe bai'r osler yn marw . . . wel fe fyddai'r gweydd yn cael 'i grogi ar unwaith. Efallai mai hynny fyddai orau! Byddai rhaid anfon y stiward â thystiolaeth yn erbyn Siôn Morys i Aberteifi, er mwyn gwneud yn siŵr ei fod e'n cael ei grogi. A dyna'r cyfan. Ar ôl trefnu popeth, fe allai fynd i Lundain a gadael i'r gyfraith ofalu am ei elynion i gyd. Na, nid i gyd chwaith . . . roedd Twm Siôn Cati ar ôl. Ond byddai digon o gyfle wedi iddo ddod adre i ddelio â hwnnw.

Yr eiliad honno gwelodd olygfa drwy'r ffenest a wnaeth iddo ddal ei anadl mewn syndod. Gwelodd gaseg ddu, hardd yn rhedeg allan o'r coed i ganol y lawnt a dau o giperiaid y plas ar ei hôl. Doedd dim angen ailedrych i adnabod y gaseg honno. Caseg ddu'r Dolau oedd hi! Edrychodd, a'i lygaid yn fflachio, arni'n rhedeg dros y borfa a'i mwng yn chwifio yn y gwynt. Roedd pob symudiad yn dangos yn glir ei bod hi'n greadur o waed pur. Chwarddodd Syr Tomos wrtho'i hunan. Agorodd y ffenest led y pen a gwaeddodd ar y ddau giper.

'Daliwch hi! Daliwch hi! Gofalwch na chaiff hi ddianc, neu myn cebyst i!'

O ble yn y byd roedd hi wedi dod? Roedd cyfrwy a ffrwyn arni hefyd – dyna oedd yn rhyfedd.

Gwelodd y ciperiaid yn ei gyrru i gornel y lawnt lle roedd gwrych trwchus. Allai hi ddim mynd ymhellach. Aeth y ddau giper ymlaen yn araf ati. Safodd hithau â'i phen i fyny'n syth. Yna cydiodd un o'r ciperiaid yn y ffrwyn a oedd yn hongian yn rhydd at ei charnau. Fe geisiodd strancio tipyn wedyn ond roedd gafael y ciper yn ddigon diogel.

'Wel, wel, wel,' meddai Syr Tomos wrtho'i hunan. 'Wel, wel, wel! Falle y galla i setlo cownt â ngelynion i gyd wedi'r cyfan.'

Yna cerddodd y stiward i mewn i'r stafell. Wrth yr olwg flêr arno roedd hi'n hawdd gweld ei fod wedi dod yn syth o'i wely.

Edrychodd y sgweier arno fel pe bai'n bryfyn a oedd newydd ddod i'r stafell heb ganiatâd.

'Wel, y cysgadur dioglyd!' gwaeddodd arno.

'Syr?'

'Rwy'n mynd i Lundain.'

'Ga i ofyn pryd, syr?'

'Nawr y funud 'ma.'

Agorodd y stiward ei lygaid. Ond yn ei galon

roedd e'n teimlo'n falch. Roedd hi'n braf yn Ffynnon Bedr pan fyddai'r sgweier yn Llundain.

'Fyddwch chi'n mynd â'r cerbyd ysgafn, syr? Gwell i mi fynd i ddweud wrth y gweision . . .'

'Fydd dim eisiau cerbyd arna i.'

'Y'ch chi'n meddwl mynd gyda'r Goets, syr?'

Gwenodd Syr Tomos. 'Tyrd yma i ti gael gweld rhywbeth.'

Aeth y stiward at y ffenest. Roedd y ddau giper yn arwain y gaseg 'nôl i gyfeiriad y stablau.

'Mi fydda' i'n mynd ar gefn y creadur yna.'

'Ond, dw'i ddim wedl gweld y gaseg yna o'r blaen, syr. Do'n i ddim yn gwybod eich bod chi'n berchen . . .'

'Do'n innau ddim chwaith hyd at ryw funud 'nôl' meddai Syr Tomos gan chwerthin. 'Dwyt ti ddim yn 'i nabod hi?'

'Nid . . . nid caseg ddu'r Dolau yw hi?' Edrychodd y stiward fel pe bai'n gwrthod credu.

'A! Rwyt ti'n dechrau dihuno o'r diwedd!'

'Ond o ble ddaeth hi, syr?'

'Dod yma ohoni 'i hunan wnaeth hi. Cerdded yma'r holl ffordd o Dregaron, gwlei.' Chwarddodd eto.

'Ond maen nhw'n dweud mai caseg Twm Siôn Cati yw hi.'

'Dwi ddim yn gwybod pwy oedd ei pherchen hi. Ond mae hi wedi'i dal yn tresmasu ar dir Ffynnon

Bedr. Fe allwn 'i saethu hi wrth gwrs, ond byddai'n biti gwneud hynny on'd byddai?'

'Beth sydd wedi digwydd i'r osler?' gofynnodd y stiward. Roedd wedi bod yn ysu am gael gofyn y cwestiwn er pan ddaeth i mewn i'r stafell.

'Mae'r gweydd wedi hanner 'i ladd e,' atebodd y sgweier rhwng ei ddannedd. 'Ac mae hynny'n fy atgoffa i fod gen i dipyn o waith i ti tra bydda i i ffwrdd yn Llundain. Paid â meddwl dy fod yn mynd i gael byd segur braf tra bydda i i ffwrdd. Yn gynta rwy ami ti fynd i Aberteifi – rwy am i ti fynd y bore 'ma peth cynta.'

'Aberteifi?'

'Ie. Rwy am i ti fynd â thystiolaeth yn erbyn Siôn Morys. Mae gen i lythyr fan yma i bennaeth y carchar ac i'r ustusiaid. Ar ôl iddyn nhw 'i ddarllen e fe fydd ganddyn nhw ddigon o dystiolaeth i grogi'r cythraul styfnig.'

Aeth at ei ddesg ac agorodd hi a thynnu allan amlen hir wedi'i selio, a'i rhoi i'r stiward.

'Fe fydd rhaid i mi drefnu fod y cwnstabliaid yn dal y gweydd a'i ddwyn e i garchar. Fe yrraf fi un o'r gweision â neges iddyn nhw i fynd ar 'i ôl e ar unwaith. Ar yr un pryd gofalwch na fydd dim llacio ar y gwaith o chwilio am Twm Siôn Cati, ac os na fydd e'n ddiogel yng ngharchar, neu yn well fyth, wedi'i grogi, cyn do' i 'nôl o Lundain, yna gwae i chi fod fydd hi!'

Tynnodd got borffor drwsiadus o gwpwrdd a gwisgodd hi amdano.

'Rwy'n mynd,' meddai gan fotymu'r got.

'Ond . . . y'ch chi wedi cael brecwast, syr?'

'Ach! Does gyda fi ddim stumog at frecwast nawr. Y gwin 'na neithiwr. Fe gaf i frecwast ar y ffordd mewn rhyw westy tua Rhaeadr ffor'na. Fe fydd gyda fi fwy o chwant ar ôl gyrru dros y bryniau am ddwy neu dair awr.'

Tynnodd ddau fag cyfrwy oddi ar y wal a thaflodd ei wisg nos, crys glân a phwrs arian i mewn iddyn nhw.

'Wel rwy'n mynd,' meddai. 'Ac i ddweud y gwir, rwy'n edrych ymla'n at farchogaeth caseg ddu'r Dolau!'

Aeth y ddau i lawr y grisiau ac allan i'r awyr iach. Trafferthodd Syr Tomos ddim mynd i gael cip arall ar ei was a oedd yn gorwedd yn glwyfau i gyd o hyd ar lawr y gegin.

Roedd y gaseg wedi'i chlymu wrth fach ar fur y stablau. Roedd hi'n anesmwyth iawn yno yn camu'n aflonydd yn ei hunfan ac yn taflu ei phen i'r awyr nawr ac yn y man.

Taflodd Syr Tomos y ddau fag dros y cyfrwy a gweryrodd y gaseg. 'Ha!' meddai Syr Tomos, 'paid ti â dangos dy dymer ddrwg i mi merch i, neu fydda i ddim yn hir iawn yn dangos i ti pwy yw'r meistr.'

'Rho goes i fyny i mi,' meddai wrth y stiward a oedd yn teimlo'n reit nerfus yn ymyl y gaseg wyllt.

Yna roedd Syr Tomos ar gefn y gaseg a'r ffrwyn yn ei ddwylo. Aeth pen y gaseg i fyny ac i lawr a thaflodd ei chocsau ôl i'r awyr. Ond roedd Syr Tomos yn ormod o farchog i'r gaseg ei daflu'n hawdd. On'd oedd e'n arfer dweud ei fod e wedi dysgu marchogaeth cyn dysgu cerdded? Ond ffordd greulon oedd ei ffordd ef o drin ceffylau. Nawr tynnodd y ffrwyn yn dynn nes bod gwddf y gaseg fel bwa.

Fe geisiodd y gaseg ei daflu eto ddwywaith, ond roedd Syr Tomos yn dal ei afael yn ddigon diogel. Yna cyffyrddodd â hi â'i sbardun a dyma hi'n mynd fel bwled i lawr y lôn.

Aeth trwy strydoedd Llanbed â sŵn ei charnau'n clundarddach dros y cerrig, ond doedd neb wedi codi'n ddigon bore i weld Sgweier Ffynnon Bedr yn mynd – heb yn wybod iddo'i hunan – i gwrdd â'i ddiwedd.

Roedd y gaseg yn rhedeg fel y gwynt. Rhedeg yn ddig ac yn wyllt roedd hi, ac nid carlamu'n llyfn ac yn esmwyth fel y byddai hi'n arfer. Roedd niwl y bore'n hongian o gwmpas y coed a'r cloddiau o hyd, ond draw yn y dwyrain roedd gwrid coch yn lledu i ddangos fod yr haul ar fin codi.

Pennod 20

Roedd Twm Siôn Cati ac Arthur yn gwylio'r haul yn codi. Safai'r ddau ar y ddôl ar lan yr afon lle roedd Arthur a'r gaseg wedi ymadael â'i gilydd y noson gynt.

'Arwydd tywydd garw, Arthur,' meddai Twm gan edrych ar y cochni yn y dwyrain. 'Fe fydd hi'n storm cyn nos gei di weld. Ble gall hi fod wedi mynd dwed?'

Ysgydwodd Arthur ei ben yn flinedig. Doedd yr un ohonyn nhw wedi cysgu llygedyn y noson gynt.

'Mae'n ddrwg gen i . . .' meddai.

'Paid â beio dy hunan, Arthur. Fe wnest ti'n ardderchog i ddod â hi yr holl ffordd o Dregaron. Nid arnat ti roedd y bai 'i bod hi wedi gwylltio.'

'Ydy hi'n bosib ei bod hi wedi mynd 'nôl i Dregaron?' gofynnodd Arthur.

'Rwy'n amau. Mae gen i ryw syniad fod dynion y sgweier wedi dod o hyd iddi. Mae'r gweydd yn dweud fod ganddo giperiaid ar gerdded trwy'r nos. Os yw'r dihiryn yna wedi gwneud unrhyw niwed iddi – fe . . . fe dorra i bob asgwrn yn 'i gorff e. Dere, gad i ni fynd nôl i'r tŷ. Mae'r haul wedi codi ac mae'n bryd i ni weld faint o ddynion y dre sy'n fodlon dod gyda ni i'r plas.'

Cerddodd y ddau yn ôl i dŷ'r gweydd.

Doedd neb yn y tŷ ond Martha. Roedd llygaid y wraig fach dew yn goch – gan ddagrau neu oherwydd diffyg cwsg – ac roedd golwg ofidus ar ei hwyneb crwn.

'Does neb wedi cyrraedd,' meddai Twm er mwyn torri ar y distawrwydd llethol.

Ysgydwodd Martha'i phen. 'Duw a ŵyr be sy'n mynd i ddigwydd heddi, Twm. Rwy'n ofni y bydd dialedd y sgweier yn disgyn arnon ni i gyd cyn nos.'

'Roedd yn rhaid iddi ddod i hyn, Martha,' meddai Twm yn dawel.

Yna roedd sŵn traed tu allan a cherddodd yr efeilliaid i mewn a thri bachgen ifanc dieithr gyda nhw. Edrychodd Twm arnyn nhw, gan wybod yn ei galon na fyddai'r rhain yn debyg o gilio mewn perygl.

'Mae'r rhain yn dod gyda ni,' meddai Idris.

'I'r plas,' meddai Ifor.

Gwenodd Twm arnyn nhw ond ddywedodd e ddim gair.

Cyn hir daeth y gweydd a'r crythor a thri dyn arall. Pobl mewn oed oedd rhain. Yn wir, roedd un ohonyn nhw'n hen â'i farf a'i wallt yn wyn fel eira.

'Dyna'r cwbwl?' meddyliodd Arthur. 'Dim ond tri!'

'Y'ch chi'n barod i ddod?' gofynnodd Twm, a oedd yn teimlo'n eithaf anesmwyth ers amser.

'Gadewch i ni fynd heb wastraffu rhagor o amser,' meddai'r gweydd. Rhedodd Martha ato a chydio yn ei ddwy fraich. Edrychodd y ddau i lygaid ei gilydd am eiliad, yna gadawodd y wraig fach ei ddwy fraich yn rhydd a throdd yn ôl at y tân heb ddweud yr un gair.

Cerddodd y fintai allan i'r stryd.

Doedd dim siarad ar y ffordd i fyny'r lôn i'r plas. Doedd gan neb gynllun – dim ond penderfyniad eu bod yn mynd i setlo cownt â'r sgweier.

Roedd hi'n dawel o gwmpas y plas, a doedd yr un o'r cŵn hyd yn oed wedi clywed sŵn traed y fintai fach yn cerdded i fyny'r lôn. Ac eto roedd eu traed yn gwneud digon o sŵn yn y graean mân, meddyliodd Arthur. Doedd dim arfau gan yr un ohonyn nhw, ond bod gan yr efeilliaid ffon gollen, drwchus yr un.

Dringai mwg tew o simnai fwyaf y plas, felly roedd rhywun wedi codi yno. Daethon nhw at y drws mawr a sefyll. Yna dechreuodd ci gyfarth yn rhywle ym mherfeddion y tŷ.

'Rwy'n mynd i guro'r drws,' meddai Twm. 'A phan fydd e'n cael 'i agor mi fyddwn ni'n mynd i mewn gyda'n gilydd.' Roedd o'n swnio'n benderfynol, er iddo siarad yn dawel.

'Mi fyddwn ni'n dod gyda ti,' meddai'r gweydd, yr un mor dawel.

Cnociodd Twm ar y drws cerfiedig. Aeth eco'r gnoc drwy'r tŷ i gyd. Cyn hir clywodd sŵn traed. Agorodd y drws grac. Rhoddodd Twm ei droed yn y crac ar unwaith. Daeth pen un o'r morynion i'r golwg.

Cyn gynted ag y gwelodd hi'r fintai fe geisiodd gau'r drws ond roedd pwysau ysgwydd Twm yn ei erbyn nawr. Aeth Twm heibio iddi ac i mewn i'r plas. Aeth y lleill i mewn ar ei ôl.

'Beth . . . beth yw'ch busnes chi?' gofynnodd y forwyn mewn dychryn.

Am funud doedd dim i'w glywed ond anadlu cyflym y bechgyn a oedd wedi dilyn Twm i mewn. Roedden nhw'n sefyll nawr mewn cyntedd hir, tywyll. Roedd y ci'n dal i gyfarth yn ffyrnig ond rhaid bod drws rhyngddo â'r cyntedd am na wnaeth e ruthro atyn nhw.

'Ry'n ni wedi dod i weld y sgweier,' meddai Twm.

'Dyw e ddim yma.'

'Paid â dweud celwydd 'y merch i,' meddai'r gweydd, 'ry'n ni wedi dod 'ma i weld y sgweier ac fe fyddwn ni'n 'i weld e os bydd rhaid i ni chwilio pob stafell yn y plas amdano.'

Aeth yr efeilliaid heibio i'r forwyn gan ddal eu ffyn trwchus yn eu dwy law. Daethon nhw at ddrws o dderw du a hwnnw ynghau. Wedi'i agor camodd y ddau i mewn i gegin fawr y plas. Rhuthrodd ci mawr atyn nhw. Trawodd Idris e ar ei ben â'r ffon a rhedodd y creadur i ffwrdd gan sgrechian o dan y bwrdd. Wrth y bwrdd roedd pedwar dyn yn eistedd. Dau ohonyn nhw oedd y ciperiaid a oedd wedi dal y gaseg ddu, ac yn eu hymyl yn pwyso ar y wal roedd dau wn. Roedd pedair neu bump o forynion o gwmpas y tân wedi troi i weld pwy oedd wedi dod i mewn mor sydyn. Nawr roedd rheini'n sefyll yn dwr bach gyda'i gilydd wrth ymyl y tân mewn dychryn.

Gwelodd yr efeilliaid un o'r ciperiaid yn estyn ei law at y gwn. Yr eiliad nesaf roedd Ifor wedi rhoi naid yn grwn i ben y bwrdd hir gan chwalu'r llestri a'r ffiolau pren a oedd arno, a nawr safai uwchben y ciper â'r ffon yn barod i'w daro. Tynnodd y ciper ei law yn ôl yn frysiog. Erbyn hyn roedd y lleill wedi dod i mewn i'r gegin. Am funud safodd pawb yn edrych ar ei gilydd a doedd dim un sŵn ond sŵn y ci'n cwyno'n isel o dan y bwrdd.

'Ble mae e? Ble mae'r sgweier?' gofynnodd Twm.

'Mae e wedi mynd i Lundain,' meddai sawl un gyda'i gilydd.

Edrychodd Twm a'r gweydd ar ei gilydd. Rhaid bod y forwyn a ddaeth i'r drws wedi dweud y gwir.

'Rhaid i chi beidio dial arnon ni,' meddai un o'r morynion yn ymyl y tân.

Aeth y gweydd ymlaen at un o'r ciperiaid a oedd yn eistedd ar fainc â'i gefn ato.

'Mae gen i hen sgôr i'w setlo â ti, Wilkins,' meddai a'i lais yn llawn dicter. Hwn oedd y ciper a oedd wedi dal Ifan Bach ei fab yn potsian ar dir y sgweier.

Cydiodd y bachyn gloyw yng ngholer cot y ciper a'r eiliad nesaf roedd hwnnw'n gorwedd ar y llawr wrth draed y gweydd. Edrychodd i fyny ar y dyn mawr â'i lygaid yn llawn ofn.

Dyn a ŵyr beth fyddai wedi digwydd iddo, ond cydiodd Twm ym mraich y gweydd, 'Na, ry'n ni wedi dod 'ma i ddal deryn mwy na hwn, Ianto,' meddai. Yna trodd at y morynion wrth y tân.

'Pryd aeth Syr Tomos i Lundain?'

'Yn y bore bach heddi,' oedd yr ateb.

'A sut aeth e?'

'Ar gefn y gaseg ddierth,' meddai'r ciper ar y llawr â'i lais yn crynu. Cododd Twm ei ben yn wyllt.

'Y gaseg ddierth?'

'Ie, y gaseg ddu, ddierth . . .'

Edrychodd y gweydd ar wyneb Twm. Yn sydyn edrychai fel pe bai wedi heneiddio. Ysgydwodd ei ben.

'Mae e wedi'n curo ni wedi'r cyfan, Ianto,' meddai'n dawel. Yna safodd i fyny'n syth ar lawr y gegin. 'Ond fydda i ddim yn gorffwys mwy nes bydda i wedi dial yn llawn am hyn.'

Er iddo dyngu llw fel yna, allai e ddim meddwl am funud sut roedd e'n mynd i weithredu. Yna cofiodd rywbeth a wnaeth iddo deimlo'n fwy calonnog.

'Ble mae caseg Syr Tomos? Ble mae Biwti?' gofynnodd.

A'r funud honno, fel mewn ateb i'w gwestiwn

clywodd pawb sŵn carnau ceffyl tu allan. Rhuthrodd Twm i'r ffenest. Gwelodd y stiward yn mynd i lawr y lôn ar garlam. Doedd dim angen iddo edrych ýr ail waith i wybod mai caseg Syr Tomos oedd o dano.

Trodd 'nôl at y cwmni yn y gegin.

'Ble roedd y stiward yn mynd?' gofynnodd yn ddi-fywyd.

Atebodd neb am funud. Yna dywedodd y forwyn a oedd wedi clywed Syr Tomos yn gwneud ei drefniadau'r bore hwnnw.

'I Aberteifi.'

'I Aberteifi?'

'I fynd â tystiolaeth yn erbyn Siôn Morys.'

'Dduw Mawr!' meddai'r gweydd.

Pennod 21

Doedd Ledi Eluned Prys y Dolau ddim wedi cysgu llygedyn drwy'r nos chwaith. Gwyliodd hithau'r wawr yn torri yn y dwyrain, trwy ffenest fawr ei stafell wely. Gorweddodd ar ei gwely am ryw ddwy awr yn ystod y nos, ond allai hi ddim cysgu am ei bod hi'n dal i ddisgwyl sŵn carnau'r gaseg ddu'n dod 'nôl o Lanbed a Twm a'r bachgen gyda hi. Roedd hi wedi aros ar ei thraed ar lawr nes i'r cloc daro dau o'r gloch y bore. Wedyn roedd hi wedi dringo'r grisiau i'r llofft gan deimlo'n bryderus iawn fod rhywbeth wedi mynd o le wedi'r cyfan.

Roedd pawb yn y plas yn cysgu a doedd sŵn yn unman ond sŵn cwynfan y gwynt yn ffrâm y ffenest. Gorweddodd ar ei gwely ond fel roedd y munudau'n llusgo'u traed tua thoriad gwawr roedd ei hofn yn cynyddu. Cododd o'i gwely ac aeth yn ddistaw at ddrws ym mhen pellaf y stafell. Agorodd y drws yn araf bach ac aeth i mewn i stafell fechan lle roedd cannwyll ynghynn. Mewn gwely bach yno roedd ei mab bach yn cysgu heb un gofid yn y byd. Hwn oedd Robert, etifedd y Dolau, ond Robin oedd pawb yn ddweud, nid Robert, yn enwedig morynion y plas a oedd yn dotio arno. Byddai e'n Syr Robert Prys, Y Dolau ryw ddydd os cai e fyw. Neu Syr Robin Prys? Gwenodd Ledi Eluned wrth roi un o ddyrnau bach crwn y plentyn yn ôl o dan y dillad. Llithrodd allan o'r stafell ac yn ôl i orwedd ar y gwely eto.

Cododd ac aeth i'r ffenest. Oedd, roedd y wawr yn torri o'r diwedd. Gwelodd hithau'r cochni yn y dwyrain. Yn sydyn fe benderfynodd ei bod hi'n mynd i Lanbed i weld beth oedd wedi digwydd i Twm a'r bachgen. Clywodd sŵn symud i lawr y grisiau – roedd rhai o forynion y plas wedi codi. Aeth i drwsio'i gwallt yn y drych ac yna aeth i'r wardrob fawr a oedd yn y stafell i edrych beth i'w wisgo ar ei thaith.

Pan aeth i lawr i gegin fawr y plas roedd Rhys newydd ddod i mewn â baich o goed tân yn ei freichiau. Roedd yn edrych fel pe bai'n cerdded yn ei gwsg nes iddo weld Ledi Eluned yn cerdded i mewn. Gollyngodd y coed o'i freichiau ar ganol yr aelwyd a dechreuodd rwbio'i lygaid i wneud yn siŵr ei fod yn gweld yn iawn.

'Mei Ledi . . .'

Fe geisiodd Ledi Eluned edrych yn ddifrifol ar annibendod y coed ar y llawr. Ar unwaith syrthiodd Rhys ar ei liniau a dechrau codi rhai ohonyn nhw i'w gôl. Ond oherwydd ei fod wedi gwylltio roedd bron cymaint yn cwympo ag oedd yn gallu eu codi.

'Rhys!' meddai Ledi Eluned.

Neidiodd y bachgen ar ei draed gan adael i'r cyfan syrthio eto.

'Wyt ti'n siŵr dy fod ti wedi dihuno, Rhys?' gofynnodd.

'Ydw, Mei Ledi. Rwy ar lawr ers hanner awr, wir i chi . . .'

'Nid dyna ofynnais i, Rhys. A wyt ti wedi dihuno – dyna nghwestiwn i.'

Dywedodd Rhys ddim – dim ond edrych mewn penbleth.

Roedd e'n edrych mor ddoniol nes i Ledi Eluned orfod wenu.

Gwenodd Rhys hefyd wedyn.

'Rwy am fynd i Lanbed ar unwaith, Rhys. Rwy am i ti baratoi'r cerbyd ysgafn a rhoi Bes ynddo.'

'Ar unwaith, Mei Ledi.' Aeth y bachgen am y drws ond gwaeddodd Ledi Eluned ar ei ôl. 'Ac rwy am i ti yrru.'

Stopiodd Rhys yn y drws â'i geg ar agor. Doedd e erioed wedi cael gyrru cerbyd Ledi Eluned o'r blaen.

'Fi, Mei Ledi . . ?'

'Ie ti, Rhys . . . os wyt ti ar ddi-hun.'

Lledodd gwên fawr dros wyneb Rhys a'r eiliad nesaf roedd e wedi diflannu.

Gadawodd y gaseg ddu dref Llanbed y tu ôl iddi. Nawr roedd hi'n carlamu i gyfeiriad Tregaron â'i marchog dieithr ar ei chefn. Meddwl yn hapus am y ffordd roedd lwc wedi'i helpu i setlo'i elynion i gyd gyda'i gilydd roedd Syr Tomos, a nawr dyma fe ar ei ffordd i Lundain am dipyn o wyliau. Roedd digon o ddrygioni yn y brifddinas hyd yn oed i Syr Tomos. Peth arall, roedd yn bryd iddo fynd i Lundain i weld beth oedd ei ddau fab yn wneud yno. Roedd y cur yn ei ben wedi mynd yn barod wrth garlamu trwy awel iach y bore.

Yna sylweddolodd ei fod yn dod at adfeilion Tŷ Clotas lle roedd yr hen wrach yn arfer byw, cyn iddo roi'r bwthyn ar dân. Cofiodd eto'r olygfa a welodd ar y lawnt y noson cynt. Effaith y gwin, meddai'r stiward, ond roedd y pictiwr mor fyw yn ei feddwl . . .

Daeth y bwthyn, neu hynny a oedd ar ôl ohono, i'r golwg o'i flaen. Cyn hir byddai wedi gadael yr hen adfail hyll ar ôl ac wedi anghofio . . .

Yn sydyn – ar ganol y ffordd yng ngolau llwyd y bore safai Elen Tŷ Clotas! Roedd ei breichiau uwch ei phen ac yn un llaw roedd cyllell hir. Chwifiai ei gwallt brith, tenau yn y gwynt ac edrychai ei hen gorff esgyrnog yn y carpiau tyllog, llwyd fel sgerbwd newydd godi o'r fynwent.

'Melltith! Melltith! Naw melltith ar Sgweier Ffynnon Bedr!'

Roedd y sgrech oerllyd honno'n ormod i'r gaseg.

Yn sydyn safodd yn ei hunfan o fewn dwylath i'r hen wraig a chodi'n syth bin ar ei choesau ôl.

A oedd y sgweier wedi llacio'i afael ar y ffrwyn yn ei ofn o'r ddrychiolaeth ar ganol y ffordd? Neu a oedd naid y gaseg mor ddi-rybudd fel na chafodd gyfle i ddal ei afael? Beth bynnag am hynny – fe gwympodd o'r cyfrwy a disgyn yn drwm ar y ffordd galed. Yna rowliodd ei gorff i'r gwter. Ac yno y gorweddodd heb symud llaw na throed.

Yna torrodd chwerthin gwallgof, di-lywodraeth yr hen wraig ar glustiau'r gaseg. Trodd y creadur a dechrau rhedeg nerth ei charnau yn ôl am Lanbed.

Penliniodd yr hen Elen ar ymyl y gwter lle roedd Syr Tomos yn gorwedd yn hollol ddiymadferth. Edrychodd i lawr ar ei got borffor gostus a'r brodwaith gwyn wrth ei wddf. Yna cododd y gyllell hir uwch ei phen a gweiddi, 'Melltith! Melltith! Melltith!' Ac ar y trydydd 'melltith' disgynnodd y gyllell hir a suddo i galon Sgweier Ffynnon Bedr. Dim ond y carn oedd yn y golwg a phe bai Arthur wedi'i weld y funud honno byddai wedi'i adnabod ar unwaith.

Cydiodd yr hen wraig wallgof ynddo â'i dwy law i geisio codi'r gyllell yr ail waith i frathu ei hen elyn, ond roedd hi'n rhy wan i'w symud. Symudodd y corff distaw yn y ffos ddim chwaith. Yna dechreuodd yr hen wraig chwerthin eto dros y lle i gyd. Dechreuodd fodio brethyn y got borffor â'i bysedd main. Yna'r botymau gloyw ag arfbais Ffynnon Bedr ar bob un. Wedyn tynnodd ei bysedd trwy'r brodwaith gwyn wrth ei wddf a gwelodd fod gwaed Syr Tomos ar hwnnw. Edrychodd ar ei bysedd – roedd gwaed coch ar rheini hefyd. Daliodd ei llaw o flaen ei llygaid yn hir gan edrych fel pe bai newydd ddeffro o drwmgwsg.

'Dial!' meddai'n ddistaw. 'Dial o'r diwedd!'

Pennod 22

Gyrrodd cerbyd ysgafn y Dolau yn gyflym ar ei ffordd tua thre Llanbed. Roedd Rhys wrth ei fodd, yn enwedig ar ôl darganfod fod Bes yr hen gaseg yn ddigon hawdd i'w thrin. Eisteddai Ledi Eluned tu ôl iddo yn ei chot deithio las, drwchus. Doedd fawr o deithwyr ar y ffordd gan ei bod hi'n fore iawn o hyd.

Ond wedi mynd gryn bellter heb weld yr un cerbyd, gwelodd Rhys wagen fawr, lwyd a phedwar ceffyl yn ei thynnu a honno'n llond y ffordd o'i flaen. Roedd hi'n teithio i'r un cyfeiriad ag yntau.

'Dai'r Carier!' meddai Rhys wrtho'i hunan. Roedd pawb o Dregaron i Lanbed yn adnabod y wagen yma a'i gyrrwr. 'Dai'r Wagen' fyddai rhai yn ei alw – dyn tew, byr a charedig a fyddai'n mynd â'i wagen o Dregaron i Lanbed bob dydd Llun a dydd Iau. Cludo nwyddau o bob math rhwng y ddau le fyddai'r wagen, ac yn aml iawn byddai'n cludo teithwyr hefyd.

Sut yn y byd roedd e'n mynd i basio'r wagen anferth yma? Dyna oedd yn blino Rhys. Fyddai e ddim yn gallu cyrraedd Lanbed yn gyflym iawn pe bai'n dilyn y wagen.

'Hei Dai!' gwaeddodd wedi dal i fyny â'r wagen.

Trodd y dyn tew ei ben yn araf i weld pwy oedd wedi gweiddi. Ond roddodd e ddim unrhyw arwydd pellach ei fod wedi clywed. Fe geisiodd Rhys fesur faint o le oedd rhwng y wagen a'r clawdd, ond sylweddolodd ar unwaith nad oedd lle i'w gerbyd e fynd heibio.

Yna roedd pen Ledi Eluned allan drwy ffenest y cerbyd.

'Dai!' gwaeddodd.

Trodd y carier ei ben unwaith eto, a rhaid ei fod wedi nabod gwraig ifanc y plas, oherwydd gwelodd Rhys e'n cyffwrdd â chantal ei het ac yn dechrau chwipio'i geffylau. Cyn hir daeth at fan mwy llydan yn y ffordd a throdd ei wagen i mewn i'r borfa rhwng y ffordd a'r clawdd. Nawr roedd digon o le i Rhys fynd heibio'n hawdd. Cododd ei chwip ar y dyn tew wrth fynd heibio.

Ar ôl teithio rhyw hanner milltir fe gododd Bes ei phen yn sydyn a stopio yn ei hunfan ar y ffordd. Roedden nhw yn ymyl yr hen adfail – Tŷ Clotas, ond allai Rhys weld dim a allai fod wedi cynhyrfu'r gaseg. Rhoddodd y chwip yn ysgafn ar ei gwar, ond gweryru a sefyll yn ei hunfan wnaeth y gaseg o hyd. Yna clywodd Rhys sŵn cwyno isel yn dod o gyfeiriad yr hen adfail. Neu ai dychmygu oedd e?

'Be sy nawr, Rhys?' gofynnodd Ledi Eluned braidd yn ddiamynedd.

'Dim syniad Mei Ledi; mae'n pallu mynd yn 'i blaen.'

'Nonsens, Rhys. Rhowch chwip iddi.'

Yna clywodd y ddau sŵn cwyno isel. Doedd dim amheuaeth y tro hwn.

'Mae rywbeth o le, Rhys,' meddai Ledi Eluned, ac roedd ei chalon yn llawn gofid mai Twm oedd yno yn rhywle wedi'i glwyfo.

'Mi a'i i weld, Mei Ledi,' meddai Rhys mewn llais gwan. A dweud y gwir doedd dim awydd arno fynd i weld gan ei fod y funud honno'n cofio'r straeon a oedd ar led am yr hen wrach Elen Tŷ Clotas.

'Fe af fi,' meddai Ledi Eluned.

Daeth allan o'r cerbyd a cherdded i lawr tuag at y bwthyn. Pan oedd hi ar fin mynd i mewn i weld pwy oedd yn cwyno yng nghanol yr hen adfeilion, fe welodd olygfa a wnaeth iddi deimlo fel llewygu. Gwelodd gorff Syr Tomos Llwyd yn gorwedd yn y gwter a chyllell yn ei galon, a dim ond ei charn yn y golwg.

'Rhys, machgen i,' meddai. 'Rhaid i ti glymu'r gaseg yn rhywle a rhaid i ti fod yn ddewr. Mae Sgweier Ffynnon Bedr fan hyn, ac rwy'n meddwl i fod e . . .'

Allai hi ddim dweud rhagor. Daeth Rhys i lawr o ben ei sedd a chlymodd awenau'r gaseg wrth lwyn.

Cerddodd tuag at ei feistres a oedd yn edrych i lawr ar y corff llonydd yn y ffos.

'Mae e wedi marw,' meddai hi.

'Mae e wedi cael 'i ladd, Mei Ledi . . . mae cyllell . . .' Roedd ei lais yn swnio'n ddieithr.

Gwelodd fod Ledi Eluned yn crynu drwyddi.

'Fe ddaw Dai'r Wagen cyn hir, Mei Ledi. Rwy'n meddwl 'mod i'n clywed 'i sŵn e nawr.' Roedd Rhys yn ceisio cysuro'i feistres. Ond doedd hi ddim yn gwrando arno. Pwy oedd wedi gwneud hyn? Ai Twm? Roedd hi'n teimlo arswyd wrth feddwl am y peth.

Yna cofiodd am y sŵn cwyno a oedd wedi tynnu sylw Rhys a hithau. Aeth yn frysiog at yr hen adfail hyll. Aeth i mewn drwy'r twll lle roedd y drws yn arfer bod, a Rhys wrth ei sodlau. Ar y llawr yng nghanol y rwbel a'r lludw roedd yr hen wraig – Elen Tŷ Clotas yn gorwedd. Roedd ei llygaid ynghau, ond gallen nhw weld ei bod yn fyw oherwydd roedd sŵn cwyno isel yn dod rhwng ei gwefusau fel roedd hi'n anadlu.

Yna clywodd y ddau sŵn wagen Dai'r Carier yn dod heibio'r tro.

'Dwed wrtho am aros,' meddai Ledi Eluned wrth Rhys. Aeth y bachgen allan i ganol y ffordd.

'Be sy'n bod?' gofynnodd y carier wrth weld Rhys yn codi ei ddwylo arno.

'Mae Syr Tomos wedi cael 'i ladd ac mae Elen Tŷ

Clotas yn wael a . . .' Roedd y geiriau'n byrlymu dros wefusau Rhys.

'Aros!' gwaeddodd y caricr. 'Syr Tomos, Sgweier Ffynnon Bedr wyt ti n feddwl?'

'Ie! Ie! Mae e'n gorwedd yn y ffos fan'co!'

'Dal bennau rhain,' meddai wrth Rhys a thaflodd awenau'r pedwar ceffyl iddo. Erbyn hyn roedd wedi gweld y corff distaw yn y ffos. Aeth ato ac edrych i lawr arno am funud.

'Bydd rhywun yn talu'n hallt am hyn,' meddai wrtho'i hunan. 'Ond fe fydd yna lawenydd ar lawer aelwyd heno pan ddaw pobl i wybod 'i fod e wedi mynd. Y nefoedd fawr, fe fydd yna lawenydd heno!'

Edrychodd yn graff ar garn y gyllell ym mynwes y sgweier. Yna ysgydwodd ei ben ac aeth i mewn i'r hen adfail lle roedd Ledi Eluned yn dal pen yr hen wraig yn ei chôl.

'Mei Ledi . . .' Allai'r dyn tew ddim dweud rhagor am funud. Beth allai dyn ddweud wrth ferch ifanc o dan y fath amgylchiadau?

'Arhoswch chi,' meddai, wrth weld Ledi Eluned yn ceisio cael gan yr hen wraig ddod ati 'i hunan. 'Mae gyda fi ddiferyn bach o frandi fan hyn. Mi fydda' i'n cario diferyn bob amser.'

Tynnodd botel fach ddu o boced ei frest a'i rhoi hi i Ledi Eluned. Cydiodd hithau ynddi a thynnodd y corcyn. Yna ceisiodd wthio diferyn rhwng gwefusau gwelw'r hen wraig.

Llifodd y rhan fwyaf i lawr dros foch fawlyd yr hen wraig i'r llawr, ond rhaid bod diferyn wedi ffeindio'i ffordd rhwng ei gwefusau hefyd, oherwydd gwelodd y ddau hi'n dechrau symud yn anesmwyth. Yna agorodd ei llygaid duon ac edrych yn syth i wyneb Dai'r Wagen. Dechreuodd ei gwefusau symud. Plygodd Ledi Eluned yn nes i glywed beth oedd ganddi i'w ddweud. Doedd yr hen wraig ddim wedi sylwi arni o gwbwl. Roedd hi'n dal i edrych ar y dyn tew.

'Mae . . . mae e wedi . . . wedi . . . mynd . . .'

Doedd ei llais yn ddim ond sibrwd ond deallodd y ddau a oedd yn gwrando. Gwenodd yr hen wraig wrthi'i hunan.

'Beth ddigwyddodd iddo, Elen?' gofynnodd y dyn tew.

'Cwympo wnaeth e . . . o gefn . . . ei geffyl . . . du mawr.'

'Ond y gyllell, Elen . . . mae yna gyllell yn 'i galon e.'

Edrychodd yr hen wraig i fyw ei lygaid. Roedd y wên wedi mynd.

'Oes . . . mae yna gyllell . . . oes . . .' Roedd y llais yn wan iawn nawr. Caeodd yr hen wraig ei llygaid fel pe bai wedi hen flino.

'Pwy laddodd e, Elen?' gofynnodd y dyn tew yn daer.

Agorodd llygaid duon yr hen wraig eto.

'Wyt ti'n meddwl y ca' i faddeuant gan y Brenin . . . gan y Brenin Mawr . . . yn y nefoedd . . . ?'

'Ti? Elen! Ti wnaeth . . . ?'

'Ie fi . . . pan gwympodd e . . . i'r gwter . . .' Daeth golwg ofidus i'w llygaid.

'Wyt ti'n meddwl . . . y ca' i faddeuant yn y nefoedd . . . ?' Ysgydwodd y dyn tew ei ben.

'Falle cei di yn y nefoedd, Elen. Ond chei di ddim maddeuant ar y ddaear alla i fentro dweud wrthot ti. Fe fydd y gyfraith . . .'

'Does dim ofn arna i . . .' Daeth y llais yn gryf am funud. 'Does gyda fi ddim golwg ar gyfraith y ddaear beth bynnag – cyfraith annheg yw hi.'

Ysgydwodd y Carier ei ben eto.

'Fe fydd hi'n galed arnat ti pan ddaw'r cwnstabliaid ar dy ôl di,' meddai.

Gwenodd yr hen wraig yn dawel. Roedd pob arwydd o wallgofrwydd wedi mynd.

'Fyddan nhw ddim yn dod ar fy ôl i,' meddai. 'Rwy . . . wedi mynd yn rhy bell iddyn nhw allu gwneud dim niwed i mi.'

Yna cododd ei hwyneb rhychiog i weld pwy oedd yn dal ei phen. Gwelodd Ledi Eluned ac edrychodd arni mewn syndod. Cododd ei llaw esgyrnog i gyffwrdd â sidan ei ffrog a gwnaeth sŵn bach yn ei gwddf. Yna roedd hi'n siarad eto.

'Rwy wedi blino . . . wedi bod allan . . . yn y coed drwy'r nos . . . roedd hi'n oer . . . ond dyw hi ddim mor oer nawr . . . dim bwyd . . . ond dwi ddim eisie . . .' Syrthiodd ei phen yn ôl i gôl Ledi Eluned. Edrychodd y carier ar wraig ifanc y plas. Roedd y dagrau'n powlio i lawr ei gruddiau.

'Ydy, mae hi wedi mynd o afael ein cyfraith ni rwy'n meddwl, Mei Ledi,' meddai'r dyn tew, a throdd ar ei sawdl rhag i Ledi Eluned weld y deigryn yn ei lygad yntau hefyd.

Synnodd Rhys i weld y dyn tew'n dod allan i'r ffordd â dagrau lond ei lygaid.

'Be sy?' gofynnodd.

'Mae Elen mewn fan'na. Rwy'n meddwl 'i bod hi wedi marw. Mae'n biti fod crwt ifanc fel ti'n gweld pethe fel hyn,' gan gyfeirio at y corff yn y gwter.

'Os buodd dihiryn erioed ar yr hen ddaear 'ma, hwn oedd e. Maen nhw'n dweud y dylen ni bob amser siarad yn dda am y marw. Pwy sy'n mynd i ddweud gair da am hwn, dwi ddim yn gwybod. Nid fi beth bynnag.'

'Beth wnawn ni ag e?' gofynnodd Rhys.

Edrychodd y dyn tew yn syn arno. Doedd e ddim wedi meddwl tan y funud honno beth i'w wneud â chorff y sgweier.

'Ie,' meddai. 'Beth wnawn ni ag e? Allwn ni ddim 'i adael e yn y gwter, er cofia . . .' Orffennodd e mo'r frawddeg.

Daeth Ledi Eluned atyn nhw.

'Beth wnawn ni, Mei Ledi?' gofynnodd y carier.

'Fe fydd rhaid mynd â'i gorff e 'nôl i Blas Ffynnon Bedr,' meddai hi.

'Fe af fi ag e, ar gaead y wagen,' meddai'r carier.

'Dere,' meddai wedyn wrth Rhys, 'cydia yn y coesau.'

Cydiodd Rhys, druan, yn y ddwy goes yn eu sgidiau uchel, gloyw. Cafodd ei frathu yn ei law gan un o sbardunau miniog y sgweier ond ddywedodd e ddim gair. Taflwyd y corff ar gaead y wagen tu ôl â'r ddwy goes yn hongian drosodd. Yno hefyd y rhoddwyd corff yr hen Elen Tŷ Clotas, a gyda'i gilydd felly – yn y diwedd – yr aeth y ddau hen elyn i gyfeiriad tre Llanbedr Pont Steffan.

Pennod 23

Wagen y carier oedd y cyntaf i gyrraedd tre Llanbed wedi'r cyfan. Y rheswm am hynny oedd bod Ledi Eluned a Rhys wedi dod o hyd i'r gaseg ddu'n pori ar borfa heb fod ymhell o'r dre ac wedi cael trafferth di-ben-draw i'w dal hi. Yn y diwedd roedd Rhys a hithau wedi llwyddo i'w chael i gornel, ac roedd Rhys wedi ceisio mynd ar ei chefn hi. Ond roedd hi wedi gwrthod gadael iddo o gwbwl. Hwyrach ei bod hi wedi deall fod ar Rhys dipyn o'i hofn. Beth bynnag am hynny – cyn gynted ag y byddai'r bachgen yn ceisio'i marchogaeth byddai'n dechrau brancio a gweryru. Yn y diwedd roedd yn rhaid i Rhys arwain y gaseg gan gerddded wrth ei hymyl. Felly, cymerodd Ledi Eluned awenau Bes a gyrru tu ôl i wagen fawr y carier. Gallai weld coesau Syr Tomos Llwyd yn siglo'n ôl a blaen ar hyd y ffordd.

Ymhell cyn i'r wagen gyrraedd â'i llwyth rhyfedd, roedd tre Llanbed yn ferw i gyd. Aeth y newydd, fod mintai o fechgyn dewr wedi mentro i'r plas ar ben bore i ymosod ar y sgweier, fel tân gwyllt drwy'r lle i gyd. Cyn hir roedd pobl yn dweud fod Syr Tomos wedi gorfod ffoi i Lundain o afael y bechgyn hyn. Dechreuodd llawer o bobl deimlo'n ddewr wedyn, ac roedd tyrfa dda wedi crynhoi ar sgwâr fawr y dref pan ddaeth y wagen i'r golwg. Roedd Twm newydd fod yn nhafarn y Castell yn ceisio benthyca ceffyl i fynd ar ôl Wil Gruffydd, ond wedi gweld y math o geffylau a oedd yno sylweddolodd nad oedd ganddo obaith dal y stiward ar gefn un o'r rheini.

Gwelodd y wagen yn dod fan draw. Erbyn hyn roedd tyrfa o blant a phobl mewn oed yn ei dilyn. Roedd y carier wedi dweud y newyddion rhyfedd wrth rai ohonyn nhw wrth basio ac roedd yr hanes wedi mynd o ben i ben.

Stopiodd y wagen ar y sgwâr. Yna gwelodd Twm Ledi Eluned yn gyrru cerbyd ysgafn y plas! Ac yna gwelodd y gaseg ddu. Safodd yn stond ar ganol y ffordd â gwên fawr ar ei wyneb. Doedd e ddim yn gallu clywed y cyffro oedd yn mynd ymlaen o'i gwmpas. Cydiodd ym mhen Bes a neidiodd Ledi Eluned i'r llawr. Mewn winc roedd hi'n cael ei gwasgu'n dynn yn ei freichiau ac roedd hithau'n crïo'n ddistaw ar ei fynwes.

Wedi'i dal hi felly yn ei freichiau am dipyn dechreuodd Twm sylweddoli fod sŵn mawr o'i gwmpas ymhob man. Gallai glywed gwragedd a phlant yn gweiddi a chwerthin. Rhyddhaodd Ledi Eluned ac aeth at y gaseg ddu a oedd yn dechrau anesmwytho. Tynnodd ei law'n dyner dros ei thrwyn melfed.

'Be sy'n bod ar bawb?' gofynnodd.

'Y sgweier,' meddai Ledi Eluned. 'Mae'r sgweier yn y wagen fan'na.'

Trodd Twm i edrych a gwelodd goesau'r sgweier a darn o'i got borffor yn hongian dros gaead y wagen.

'Mae cyllell Elen Tŷ Clotas yn 'i galon e,' meddai Ledi Eluned.

Nawr roedd dadl fawr yn mynd ymlaen o gwmpas y wagen. Aeth Twm a Ledi Eluned yn nes.

'Mi gymra' i gorff yr hen Elen, ond am y llall . . .' meddai'r gweydd.

'Ond beth wna' i ag e?' – llais Dai'r Wagen. 'Rwy wedi dod ag e hyd fan yma; rhaid i rywun arall gymryd gofal ohono nawr.'

'Rhaid i ti fynd ag e lan i'r plas!' gwaeddodd rhywun.

'Dwi ddim yn mynd ag e gam pellach,' atebodd Dai. 'Mae'n debyg na cha' i ddim dimai o dâl am ddod ag e hyd fan hyn. Dewch nawr. Pwy sy'n fodlon cymryd gofal o gorff y sgweier?'

Doedd neb yn fodlon.

Yn sydyn collodd y carier ei dymer. Cydiodd yn y corff â'i ddwy law a'i daflu o'r wagen i'r llawr. Syrthiodd y corff yn swp ar ganol y sgwâr a safodd pobl tre Llanbed i edrych lawr arno. Roedd rhai'n mynnu cyffwrdd ag e a'u traed, ond doedd neb yn awyddus i'w symud o'r fan honno.

Roedd Twm wedi bod yn anesmwyth ers tipyn.

Trodd at Ledi Eluned a oedd yn cydio'n dynn yn ei fraich.

'Rhaid i mi fynd,' meddai'n sydyn.

'Mynd i ble, Twm?'

Yna dywedodd wrthi fod Wil Gruffydd, y stiward wedi mynd am Aberteifi â thystiolaeth yn erbyn Siôn Morys.

'Rhaid i mi geisio'i ddal e cyn iddo gyrraedd Aberteifi,' meddai gan edrych yn swil i'w llygaid.

Roedd hithau'n gwybod bod dim i'w ddweud a bod dim ffordd i'w rwystro pe bai hi'n dewis.

'Mi fydda' i'n ôl cyn nos,' meddai Twm gan ollwng ei llaw.

'Mi fydda' i'n eich disgwyl chi,' meddai hithau'n ddistaw.

Neidiodd Twm i'r cyfrwy.

'O'r ffordd! O'r ffordd!' Agorodd llwybr drwy'r dorf ar y sgwâr. Yna roedd e'n carlamu ar y ffordd i Aberteifi.

Ar ôl i sŵn carnau ddistewi yn y pellter, fe ddaeth cert bychan bawlyd Siôn Tincer i fyny'r stryd. Roedd Siôn Tincer dipyn bach yn ddiniwed – 'dyw e ddim yn llawn llathen' – dyna fyddai pobl yn ddweud amdano.

'A!' gwaeddodd rhyw wag o ganol y dorf. 'Mae'r hers yn dod o'r diwedd!' Chwarddodd pawb. Daeth y cert bach hyd atyn nhw a safodd yr asyn tenau heb i neb ddweud wrtho.

Cydiodd rhai o fechgyn y dref yn y corff a'i osod fel sach ar y cert bach. Edrychai'r Tincer arnyn nhw â'i geg ar agor.

Yna cydiodd rhywun ym mhen yr asyn a chychwynnodd y cert ar ei ffordd tua'r plas. A dyna sut yr aeth Syr Tomos Llwyd, Ffynnon Bedr adre i'r plas y tro diwethaf – yng nghert y tincer a'r asyn yn ei dynnu.

Pennod 24

Roedd y gwynt wedi codi a nawr roedd hi'n dechrau arllwys y glaw. Teimlai'r stiward yn ddig wrth y tywydd. On'd oedd e wedi gwisgo'i got werdd orau i ddod ar y siwrnai yma i Aberteifi? A nawr dyma hi'n arllwys y glaw! Fe fyddai golwg ar y got cyn cyrraedd Aberteifi.

Roedd e wedi meddwl treulio tipyn o amser o gwmpas tre Aberteifi ar ôl cyflwyno neges y sgweier yn ddiogel. Roedd y sgweier wedi mynd i Lundain, a doedd neb wedi dweud wrtho i frysio'n ôl. Felly roedd e wedi gwisgo'r got werdd gan feddwl ei lordio hi dipyn o gylch y dref gyda gwŷr bonheddig tebyg iddo fe'i hunan.

Doedd e ddim wedi sylwi ar ddim allan o'r cyffredin yn digwydd o gwmpas Plas Ffynnon Bedr cyn iddo adael, a doedd e ddim wedi gweld y gweydd a Twm Siôn Cati a'r lleill yn mynd i mewn i'r plas. Dyna pam roedd e'n teimlo mor dawel 'i feddwl nawr. Yn dawel 'i feddwl oni bai am y glaw! Mi fyddai'n wlyb hyd ei groen os daliai hi 'mlaen fel hyn, meddyliodd.

Roedd Biwti'n rhedeg trwy ddyffryn Teifi nawr a'r stiward yn gwybod ei fod yn agosáu at ben ei daith. Daeth pentre Cenarth i'r golwg o'i flaen, a'r glaw'n sgubo'r ffordd yn lân.

Ffrwynodd y gaseg o flaen Tafarn y Tair Pedol cyn croesi'r bont enwog yng Nghenarth. Doedd dim drwg oedi hanner awr fan yma i weld a fyddai'r glaw'n cilio. Hefyd roedd awydd bwyd arno ar ôl cychwyn allan mor fore o Lanbed.

Disgynnodd i'r llawr a chlymodd y gaseg wrth ddolen yn y wal yn ymyl y drws a cherddodd i mewn. Doedd e ddim yn mynd i dalu am stabl a bwyd i'r gaseg, felly fe'i gadawodd hi yno yn y glaw.

Roedd pedwar neu bump o bysgotwyr o gwmpas y bar yn y dafarn. Roedd un ohonyn nhw'n dal rhwyd ar ei fraich ac roedd un arall wedi dod â'i gwrwgl i mewn gydag e. Distawodd y siarad pan gerddodd i mewn.

Daeth y tafarnwr i'r golwg, a phan welodd Wil Gruffydd, dechreuodd sychu ei ddwylo yn ei ffedog hanner-glân.

'Rwy am ddiod a phryd o fwyd,' meddai Wil.

'Os dewch chi ffordd yma, syr,' meddai'r tafarnwr, gan ei arwain at ddrws ym mhen pella'r stafell.

I mewn â nhw i stafell ginio fawr. Roedd dau ŵr bonheddig yn eistedd wrth un o'r byrddau'n barod ond doedd Wil ddim yn eu hadnabod.

Gosododd y tafarnwr e i eistedd wrth fwrdd bach ar ei ben ei hunan.

'Rwy ar frys,' meddai'r stiward.

'Wrth gwrs, syr. Be gymrwch chi i'w fwyta os gwelwch yn dda?'

Edrychodd y stiward i gyfeiriad y bwrdd lle roedd y ddau ŵr bonheddig. Gwelodd hanner eog mawr ar blât o'u blaen.

'Mi gymra' i dipyn o ffrwyth afon Teifi,' meddai.

'Eog, syr? A thatws rhost falle?'

'A thipyn o fara gwenith a chwart o ddiod.'

'O'r gore, syr. Fe ddaw'r ddiod ar unwaith ac fe fydd y bwyd yn barod yn fuan, syr.'

'Gobeithio hynny, achos rwy ar neges bwysig ac rwy ar frys,' meddai eto. Bowiodd y tafarnwr ac aeth allan.

Tynnodd y stiward ei got wlyb ac aeth â hi at y tân. Taflodd hi dros gadair a throi cefn honno at y gwres. Cyn hir roedd y got yn mygu.

Daeth morwyn fach i mewn â'r diod iddo, ac eisteddodd yntau wrth y tân i ddisgwyl ei ginio.

Cymerodd y ddau ŵr bonheddig arall ddim unrhyw sylw ohono. Roedd y ddau'n siarad yn rhy isel iddo glywed dim o'r hyn roedden nhw'n ddweud.

Dechreuodd y stiward feddwl am ddigwydd-iadau'r diwrnodau olaf o gwmpas Llanbed. Gwenodd wrth feddwl am gyfrwystra'r sgweier. Roedd e wedi bod yn lew i roi'r bai ar Siôn Morys am ddwyn yr hwrdd. Roedd e wedi twyllo hyd yn oed y cwnstabliaid! Dim ond fe, Wil Gruffydd y Stiward (a Morgan yr Osler wrth gwrs) oedd yn gwybod sut y daeth yr hwrdd i feudy Cwmbychan. Ac roedd Morgan yn fud – felly fe'n unig a allai dystio i'r hyn oedd wedi digwydd. Ryw ddiwrnod, meddyliodd Wil, fe fyddai'r wybodaeth a oedd ganddo yn dod yn ddefnyddiol. Ryw ddiwrnod fe fyddai'n gallu defnyddio'r wybodaeth yna i'w fantais ei hun. Cofiodd y nifer o weithiau roedd y sgweier wedi'i wawdio a'i regi a'i feio am y peth hwn a'r peth arall. Ryw ddiwrnod fe fyddai'r cyfle'n dod i dalu nôl . . . Roedden nhw'n hir yn dod â'i ginio.

Sychodd Wil Gruffydd ei wefusau â'r napcyn gwyn oddi ar y bwrdd. Roedd wedi mwynhau ei bryd bwyd yn fawr iawn. Yn wir doedd e ddim wedi bwyta cystal pryd ers llawer dydd. Roedd yr eog ffres o'r afon wedi profi'n hynod o flasus.

Cododd oddi wrth y bwrdd ac aeth at y tân i 'nôl ei got. Roedd wedi gorfod aros yn hir am ei ginio ac wedi oedi'n go hir uwch ei ben hefyd. Felly roedd e wedi treulio gormod o amser yn Nhafarn y Tair Pedol, meddyliodd.

Roedd ar hanner gwisgo'r got werdd pan gerddodd Twm Siôn Cati i mewn. Doedd y stiward ddim wedi gweld Twm ond unwaith erioed, pan oedd yn rhedeg mewn ras yn Llanbed ddwy flynedd ynghynt, a nawr lwyddodd e ddim i'w adnabod ar unwaith.

Doedd hynny ddim yn rhyfedd o gwbwl gan fod Twm yn edrych yn aflêr iawn â'i wallt du'n hongian yn gudynnau gwlyb dros ei wyneb. Ond cyn gynted ag y cerddodd i mewn fe deimlodd y stiward yn anesmwyth.

'Ydy hi'n dal i fwrw glaw?' gofynnodd.

'Mae'n 'i harllwys hi,' atebodd Twm. Nawr, er nad oedd y stiward yn nabod Twm, roedd Twm yn nabod y stiward yn dda. Roedd e wedi'i weld e droeon yng nghwmni Syr Tomos ar ddiwrnod hela a chyfarfodydd felly, a pheth arall, doedd dim eisiau amau pwy oedd, â Biwti Ffynnon Bedr wrth y drws.

'Ie wel, mae'n rhaid i mi fynd. Rwy ar neges bwysig i Aberteifi. Mae'n dda nad oes gen i ddim ffordd bell i fynd eto. Ydych chi'n mynd ymlaen i Aberteifi, syr?'

'Na,' meddai Twm. 'Dwi ddim yn meddwl mynd ymhellach na'r fan yma.'

'A wel ry'ch chi'n lwcus – ar y glaw yma.'

Botymodd y stiward ei got a throdd at y gadair i mofyn ei fenig. Yr eiliad nesaf teimlodd law'n cydio yn ei war a chafodd ei hunan yn sydyn yn eistedd ar un o'r cadeiriau mawr yn ymyl y tân. Edrychodd i fyny'n syn i wyneb Twm Siôn Cati.

'Pwy . . ?'

'Twm Siôn Cati,' meddai Twm rhwng ei ddannedd.

Agorodd y stiward ei lygaid led y pen.

'Gad lonydd i mi!' meddai, 'neu fe waedda' i ar y tafarnwr y funud yma!'

'Rwy ami ti ddod nôl gyda fi i Lanbed,' meddai Twm. 'Maen nhw wedi cael Syr Tomos Llwyd â chyllell yn 'i galon e ar y ffordd i Dregaron y bore 'ma.'

Llyncodd y stiward ei boer. Yna ysgydwodd ei ben yn wyllt.

'Na, na! Mae Syr Tomos wedi mynd i Lundain . . . ar gefn y gaseg ddu.'

'Mae'r gaseg ddu gyda fi yma. Mae hi tu allan i ddrws y dafarn 'ma nawr.'

Ond dal i ysgwyd ei ben wnaeth y stiward. Cydiodd Twm yng ngholer y got werdd a'i godi'n sydyn ar ei draed. Llusgodd ef i'r ffenest. 'Edrych!' meddai.

Edrychodd y stiward allan. Gwelodd y ddwy gaseg hardd yn ymyl ei gilydd.

'Caton pawb! Be sy wedi digwydd?' gofynnodd.

'Mae rhywun wedi dial ar y sgweier am 'i holl ddrygioni,' meddai Twm. 'Ac rwyt tithe ar dy ffordd i Aberteifi i wneud rhagor o ddrygioni ar 'i ran e.'

Tynnodd y stiward ei law dros ei wyneb.

'Rwy'n mynd i Aberteifi ar ran y gyfraith. Paid ti â threio fy rhwystro i . . .'

Torrodd Twm ar ei draws.

'Rwyt ti ar y ffordd i ddwyn tystiolaeth yn erbyn dyn gonest a diniwed. Wyt ti'n gwybod ble roedd corff Syr Tomos pan welais i e ddiwetha? Ar ganol y sgwâr yn Llanbed, a phobl y dre'n gwneud sbort. Wyt ti am orffen dy oes yn yr un ffordd â Syr Tomos? Os ei di i Aberteifi o'r fan yma, fentri di ddim 'nôl i Lanbed byth mwy, neu fe fydd cyllell yn dy galon dithe hefyd.'

'Na! Sut ydw i'n gwybod dy fod yn dweud y gwir? Does gen ti ddim byd i brofi . . .'

'Welaist ti Syr Tomos yn mynd am Lundain ar gefn y gaseg?'

'Do.'

'Ac rwyt ti wedi gweld y gaseg tu allan i'r drws y funud 'ma. Faint o brawf sydd eisie arnat ti?'

'Beth os dweda' i 'mod i'n benderfynol o fynd ymlaen i Aberteifi?'

'Yna mi fydda i'n dy rwystro di.'

'Fedri di ddim.'

Edrychodd i lygaid Twm, a gwyddai ei fod yn ei dwyllo'i hunan.

Yna trawodd meddwl arall yn 'i ben.

'Ond fedra' i ddim mentro'n ôl i Lanbed beth bynnag os yw'r bobl wedi lladd y sgweier!'

'Os medri di wneud iawn am y drwg sy wedi'i wneud fe ofala i na chei di ddim niwed.'

Edrychodd y ddau ar ei gilydd am dipyn. Yna gwthiodd y stiward ei law i boced ei frest a thynnodd allan amlen drwchus â sêl coch arni. Estynnodd hi i Twm heb ddweud yr un gair.

'Dyna'r dystiolaeth yn erbyn Siôn Morys.'

Torrodd Twm y sêl heb betruso dim. Dechreuodd ddarllen.

'Faint o wirionedd sydd yn hwn?'

Plygodd Wil Gruffydd ei ben ond ddywedodd e ddim gair.

'Sut aeth yr hwrdd i'r beudy?'

Ond roedd y stiward yn meddwl am gorff y sgweier ar sgwâr y dref yn Llanbed. A dyna lle roedd e wedi 'i holl gyfrwystra a'i greulondeb – yn gorwedd yn y llaid ar y sgwâr! Gallai'r stiward weld y pictiwr yn glir o flaen ei lygaid. Yn sydyn roedd e'n gwybod fod Twm Siôn Cati'n dweud y gwir. Aeth ei feddwl 'nôl i'r amser pan ddechreuodd e ar ei waith fel stiward stad Ffynnon Bedr. Roedd blynyddoedd ers hynny. Dechreuodd ar ei waith gan feddwl gwneud lles i'r stad ac i'r tenantiaid. Ond roedd e wedi dysgu'n fuan iawn nad oedd gan ei feistr ddim parch i waith onest. Gydag amser roedd e, Wil Gruffydd, wedi mynd o dan ei fawd, fel nad oedd e'n gallu meddwl ond fel roedd y sgweier yn meddwl. A dyma fe'n gorwedd yn gelain ar sgwâr Llanbed!

'Morgan yr Osler glymodd yr hwrdd yn y beudy. Roedd Syr Tomos am gael y cae yna a oedd yn perthyn i Siôn Morys, Cwmbychan, a dyna beth wnaeth e er mwyn 'i gael e.' Siaradai'r stiward mewn llais uchel, annaturiol.

Gwenodd Twm arno. Yna trodd at y gadair a chododd fenig y stiward a'u hestyn iddo.

'Dere,' meddai'n dawel. 'Gad i ni fynd.'

'I ble?'

'I Aberteifi i roi'r dystiolaeth iawn i ceidwad y carchar. Wedyn – 'nôl i Lanbed – ti a finnau, a Siôn Morys gobeithio.'

Cyn hir roedd y ddwy gaseg hardd yn rhedeg ysgwydd wrth ysgwydd ar y ffordd i Aberteifi trwy ganol y glaw.

Pennod 25

Y cyntaf o Ionawr 1778 oedd hi, ac roedd tipyn o lawenydd y Calan o gwmpas hen dref Tregaron. Roedd y plant yn adrodd ac yn canu penillion llon i'r Flwyddyn Newydd wrth gasglu calennig o dŷ i dŷ. I wneud y plant yn hapusach fyth roedd haenen denau o eira ar y llawr – ac roedd cloch fawr yr eglwys yn canu.

Ond nid canu i groesawu'r Flwyddyn Newydd roedd y gloch. Roedd hi'n canu am fod priodas yn yr eglwys y bore hwnnw, ac wrth sylwi ar y tyrfaoedd o wragedd, merched a phlant a oedd yn tyrru yno, roedd hi'n hawdd gweld nad priodas gyffredin oedd hi.

Y tu mewn i'r eglwys roedd y canhwyllau ynghynn ar yr allor hardd ac roedd yr adeilad wedi'i addurno ar gyfer y digwyddiad.

Erbyn hyn roedd pob mainc yn yr eglwys yn llawn a llawer o sibrwd a mân siarad yn mynd ymlaen drwy'r lle i gyd. Safai'r offeiriad yn ei wisg wen, laes o flaen yr allor gan edrych braidd yn anesmwyth at y drws nawr ac yn y man. Fe ddylai'r priodfab fod yn ei le bellach, meddyliodd. Fyddai hi ddim yn dda i'r briodferch gyrraedd yn gyntaf.

Yna roedd cyffro o gwmpas y drws a gwelodd yr offeiriad fod popeth yn iawn wedi'r cyfan, oherwydd nawr cerddodd y priodfab i mewn â hen ŵr bonheddig, tal a chloff yn ei ymyl. Edrychai'r priodfab yn fonheddig ac yn drwsiadus iawn yn ei ddillad newydd sbon. Roedd y brodwaith gwyn wrth ei wddf ac wrth ei arddyrnau mor wyn â'r eira tu allan, a'i got sidan, las tywyll yn ei ffitio fel y faneg. Roedd ei wallt du a oedd fel arfer yn syrthio dros ei aeliau, nawr wedi'i gribo'n ôl oddi ar ei dalcen. Os oedd ei wyneb yn fwy llwyd nag arfer (oherwydd pwysigrwydd y digwyddiad debyg iawn), roedd hynny ond gwneud iddo edrych yn lanach dyn nag arfer. Daeth yr offeiriad i'w cwrdd hanner y ffordd i fyny'r eil. Ymgrymodd i'r hen ŵr bonheddig fel pe bai hwnnw'n dywysog ar ymweliad â Thregaron. Edrychodd braidd yn syn ar Twm Siôn Cati (oherwydd dyna pwy oedd y dyn ifanc trwsiadus yma – Twm wedi dod i'w briodi). Doedd neb wedi gweld Twm yn edrych fel hyn o'r blaen ac roedd y sibrwd yn y seddau'n fwy cynhyrfus na chyn iddo ddod i mewn.

Yr hen ŵr bonheddig oedd Syr Philip Townsend o Elmwood yn swydd Henffordd, hen gyfaill i Twm er y dyddiau pan fu'r gaseg yn rasio yn Lloegr. Roedd e wedi tyngu flwyddyn ynghynt y byddai'n dod i briodas Twm Siôn Cati yn Nhregaron. Bryd hynny roedd Twm wedi chwerthin am ei ben, gan feddwl yn siŵr na fyddai angen iddo ddod i'r fath beth, gan na fyddai ef yn debyg o gymryd gwraig byth. Roedd yr hen Syr Philip yn fain ac yn dal, ond roedd pob modfedd ohono'n dweud ei fod yn ŵr bonheddig o waed. Perthyn i'r hen-ffasiwn a wnai ei ddillad, ac fe gariai gleddyf hir wrth ei wregys, ac roedd hynny ynddo'i hun yn rhyfeddod o beth i'w weld yn eglwys Tregaron.

Arweiniodd yr offeiriad y ddau i eistedd, a nawr troai'r pennau yn aml at y drws i weld a oedd y briodferch yn dod. Llusgodd y munudau heibio a dechreuodd Twm anesmwytho. Ni theimlodd mor nerfus erioed o'r blaen yn ei fywyd. Cydiodd yr hen Syr Philip yn ei benglin fel pe bai'n gwybod beth oedd yn mynd ymlaen yn ei feddwl ar y pryd. Yr hyn a oedd yn blino Twm y funud honno oedd ofn na fyddai Ledi Eluned yn dod wedi'r cyfan. Beth os oedd ei thad wedi'i thwyllo i beidio â dod ar y funud ola? Gwyddai Twm yn iawn nad oedd Wiliam Morgan o Giliau Aeron yn cefnogi Twm fel gŵr i'w ferch hardd. Efallai nad oedd hi ddim yn teimlo'n dda'r bore hwnnw. Beth bynnag, roedd y disgwyl yma yn nhawelwch yr eglwys, a mân sibrwd yn mynd ymlaen o'i gwmpas yn ei ladd yn deg. A oedd y fodrwy'n ddiogel gan yr hen Syr Philip? Nid oedd wedi cofio gofyn iddo cyn dod. Roedd pob math o amheuon yn mynd trwy ei ymennydd y funud honno.

Ac yna clywodd rhyw fath o ochenaid yn mynd trwy'r eglwys i gyd. Allai e ddim troi ei ben i edrych, ond roedd e'n gwybod fod Ledi Eluned wedi cyrraedd – fel roedd hi wedi addo! Wrth gwrs, yn ei galon roedd e'n gwybod yn iawn o'r dechrau y byddai hi'n dod.

Edrychodd y mamau a'r merched a'r plant yn syn ar Ledi Eluned yn cerdded yn araf ar fraich ei thad i mewn i'r eglwys. Doedd dim rhyfedd fod rhyw fath o ochenaid wedi mynd trwy'r lle pan ddaeth hi i mewn, oherwydd roedd hi'n olygfa werth ei gweld. Roedd fael o lês gwyn dros ei hwyneb, nid i'w guddio, ond i wneud iddo edrych yn dlysach nag arfer. Roedd gwên fach yn chwarae o gwmpas ei gwefusau ac roedd ei llygaid duon fel sêr. Ond ei gwisg oedd yn tynnu fwyaf o sylw'r gwragedd a'r merched.

Ffrog sidan o liw melyn cyfoethog oedd amdani a honno'n cyrraedd hyd y llawr. Am ei chanol roedd gwregys lydan o sidan glas, trwchus a dau pen hwnnw'n hongian i lawr bron hyd y llawr hefyd. Ar ei mynwes roedd dolen o'r sidan glas eto, ac o gylch ymylon ei ffrog i gyd roedd gwaith brodwaith costus a thlws dros ben. Ar ei phen roedd hi'n gwisgo het uchel a phluen fawr drosti yn ôl ffasiwn y cyfnod. Syrthiai ei gwallt du cyrliog dros ei hysgwyddau. Yn sicr doedd ddim priodferch harddach erioed wedi'i phriodi yn eglwys Tregaron – o leiaf dyna oedd barn y rhan fwyaf o'r gwragedd yr eiliad honno.

Gwnaeth yr offeiriad arwydd ar Twm a Syr Philip fod y briodferch wedi cyrraedd a chododd y ddau ar eu traed ar unwaith. Edrychodd Twm arni trwy gil ei lygad, ond edrychodd i ffwrdd ar unwaith gan 'i bod hi'n edrych mor dlws nes gwneud i rywbeth gronni yn ei wddf. Am ennyd daeth gwên fach mwy cellweirus dros wyneb Ledi Eluned. Roedd hi'n gwybod yn iawn am swildod ei darpar-ŵr.

Trefnodd yr offeiriad i Twm a Ledi Eluned sefyll yn ymyl ei gilydd o flaen yr allor. Yr ochr arall i Ledi Eluned safai ei thad, ac er iddo fowio'n ddigon moesgar i Syr Philip Townsend, dal i wgu ar Twm roedd e. Fe allai Eluned ei ferch fod wedi cael unrhyw un o foneddigion gorau'r wlad yn ŵr iddi, a dyma hi yn dewis priodi hwn – neb gwell na mab i weddw dlawd! Ac i wneud pethau'n waeth roedd e'n dipyn o rebel hefyd, ac yn greadur gwyllt 'i dymer yn ôl y storïau oedd ar led amdano. Ond roedd ganddo rai cyfeillion digon pwysig a dylanwadol hefyd – fel Syr Philip Townsend nawr . . . efallai . . . ryw ddiwrnod y byddai pethau'n troi allan yn weddol wedi'r cyfan. Dyna'r meddyliau oedd yn mynd trwy ben Wiliam Morgan yr eiliad honno.

'A fynni di y ferch hon yn wraig . . .' Roedd llais yr offeiriad yn swnio'n ddieithr ac yn bell i Twm wrth i'r gwasanaeth priodas ddechrau. Llwyddodd rywfodd, pan stopiodd llais yr offeiriad am eiliad, i ddweud mewn llais gwan, a chrynedig – 'Gwnaf.'

Yna roedd llais yr offeiriad yn mynd ymlaen eto.

'A fynni di y mab hwn yn ŵr priod i ti . . .' Pan ddaeth y frawddeg hir i ben clywodd Twm Ledi Eluned yn dweud, 'Gwnaf.' Yna gofynnodd yr offeiriad, 'Pwy sydd yn rhoddi y ferch hon i'w phriodi i'r mab hwn?'

Gwelodd Twm Wiliam Morgan yn camu ymlaen ac yn rhoddi llaw Ledi Eluned, a oedd yn pwyso ar ei fraich, yn llaw'r offeiriad. Wedyn fel mewn breuddwyd, teimlodd yr offeiriad yn cydio yn ei law dde ac yn rhoi llaw dde Ledi Eluned ynddi! Cydiodd Twm yn dynn yn y llaw gynnes honno fel dyn ar fin boddi. Teimlodd rhyw gryndod yn mynd trwyddi. 'Fel taech chi'n dal aderyn ofnus yn eich llaw,' meddyliodd Twm.

Yna adroddodd Twm rhyw eiriau ar ôl yr offeiriad. Roedd rywbeth yng nghorn ei wddf yn ei dagu, a theimlai y byddai wedi tagu yn wir oni bai ei fod yn dal yn dynn yn y llaw honno.

Yna clywodd lais Ledi Eluned yn dweud ar ôl yr offeiriad. 'Yr wyf yn dy gymeryd di . . . yn ŵr . . .' ac yn y blaen ac yn y blaen. Edrychodd i lawr arni, ac roedd ei lygaid yn llaith gan falchder a llawenydd y funud honno.

Yna roedd yr offeiriad yn llefaru eto fel dyn yn adrodd darn cyfarwydd oddi ar ei gof, ond doedd Twm ddim yn gwrando arno. Roedd yn dal yn dynn yn llaw ei wraig newydd fel pe bai'n benderfynol o beidio a'i gadael yn rhydd byth.

Pennod 26

Daeth y gwasanaeth priodas i ben o'r diwedd. Cerddodd Ledi Eluned ar fraich ei gŵr i lawr yr eil tua'r drws. Tu allan, o gwmpas porth y fynwent, roedd tyrfa o denantiaid stad y Dolau, a chododd gwaedd fawr pan ddaeth y pâr ifanc i'r golwg yn y drws.

Roedd rhai wedi dod â gynnau a nawr torrodd sŵn saethu dros y lle i gyd. Trwy lwc roedd barilau'r gynnau i gyd yn anelu tua'r awyr chafodd neb niwed.

'Priodas Dda!' 'Priodas Dda!' gwaeddodd y dorf.

O ganol y dorf camodd yr hen Guto'r Gof ymlaen at Ledi Eluned a'i gap yn ei law. Yn ei law arall roedd pedol ddur, loyw. Estynnodd hi i'r wraig ifanc, 'Am lwc, Mei Ledi,' meddai gan fowio'n swil.

'Diolch, Guto,' meddai hithau'n dawel.

'Lwc i tithe hefyd, Twm bach,' meddai'r gof. Yna camodd o'r ffordd fel petai'n falch fod ei dasg drosodd.

Tu allan i'r porth roedd dau gerbyd costus yr olwg yn disgwyl. Un ohonyn nhw oedd cerbyd gorau'r plas yn cael ei dynnu gan ddau geffyl graenus, a'r llall oedd cerbyd Syr Philip Townsend. Ar ddrws hwnnw roedd arfbais yr hen ŵr bonheddig mewn aur gloyw – coron uwchben dau gleddyf croes, a sgrôl â rhyw eiriau Lladin o dan y cyfan.

Roedd un o weision y plas, mewn lifrai newydd sbon, a'r botymau'n sgleinio, yn disgwyl y pâr ifanc allan. Agorodd y drws ac aeth Twm a Ledi Eluned i mewn wrth i weiddi godi eto o'r dyrfa fawr. Yna cychwynnodd y cerbyd drwy'r eira tua'r plas lle roedd y wledd briodas yn disgwyl. Pan oedd y cerbyd wedi troi o'r ffordd fawr i'r lôn hir oedd yn arwain i'r plas, tynnodd Ledi Eluned y fael wen oddi ar ei hwyneb. Heb allu dweud yr un gair cymerodd Twm hi yn ei freichiau a'i chofleidio drosodd a throsodd. Syrthiodd yr het a'r bluen fawr i'r llawr ond chymerodd neb ddim sylw o gwbwl o hynny.

O flaen porth mawr y plas roedd y gweision a'r morynion yn disgwyl eu meistres ifanc adre o'i phriodas.

Yn dynn wrth gynffon cerbyd y plas daeth cerbyd Syr Philip Townsend, ac yn hwnnw roedd Cati, mam Twm (a oedd yn teimlo'n ddigon anesmwyth yn y cerbyd crand), a Wiliam Morgan o Giliau Aeron, tad y wraig ifanc. Yn dilyn y cerbyd yma roedd cerbydau mwy cyffredin tenantiaid y stad, yr offeiriad ac un neu ddau o wŷr cefnog y dre. Ac ar eu hôl nhw daeth y rhai oedd yn cerdded! Y gof oedd yn arwain y dorf honno, ac i mewn i'r plas yr aeth y cyfan!

Roedd sôn a siarad am lawer mis yn Nhregaron am y wledd honno yn y plas. Roedd digon o fwyd a digon o win i bawb, er nad oedd digon o le i bawb fynd i mewn i'r neuadd ginio fawr lle roedd y pâr ifanc a'r perthnasau agosaf yn eistedd. Roedd y lleill yn ddigon bodlon ar wledda yn y stafelloedd islaw, gyda'r gweision a'r morynion.

Ar ôl bwyta fe ddaeth yr areithiau, wrth gwrs. Dywedodd Wiliam Morgan, Ciliau Aeron fod ei ferch Eluned wedi achosi tipyn o ofid iddo erioed (pawb yn chwerthin). Dywedodd hefyd ei bod yn greadur go benderfynol. ('Fel ei thad!' gwaeddodd rhywun o ben pella'r stafell) a'i fod yn falch o gael rhoi ei gofal i ddyn arall er mwyn i hwnnw gael gweld sut un oedd hi (chwerthin eto).

Dywedodd Syr Philip Townsend (yn Saesneg, fel mai dim ond ychydig o'r rhai a oedd yn bresennol oedd yn gallu ei ddeall), fod gan Twm ffordd dda ar drin ceffylau, yn enwedig y gaseg enwog a oedd yn stablau'r Dolau, a'i fod yn siŵr oherwydd hynny y byddai'n gallu trin ei wraig newydd yn dda hefyd. Ymlaen ac ymlaen fel yna a'r cwmni'n mynd yn fwy llawen o hyd.

Daeth y ciwrad i sibrwd yng nghlust Wiliam Morgan ei fod ef wedi dod â rhai o bobl ifanc y côr yn yr eglwys i ganu cân bwrpasol i ddathlu'r briodas. Galwodd Wiliam Morgan am ddistawrwydd a daeth pedwar bachgen swil i'r golwg o rywle. Safodd y ciwrad o'u blaen gan chwifio'i freichiau o gwmpas fel melin wynt.

Yna dyma'r pedwar yn agor eu cegau ac yn dechrau canu. Doedd y geiriau na'r dôn ddim yn rhyw glir iawn, ond gallai pawb ddeall mai sôn am briodas ddedwydd i'r pâr ifanc roedden nhw.

Pan ddaeth y gân i ben fe gurodd pawb ddwylo am amser wrth i'r ciwrad wenu o glust i glust.

Yna ymhen pella'r stafell yn ymyl y drws, safodd dyn tal, main ar ei draed. Distawodd y siarad o'i gwmpas.

'Harri'r Crythor!' gwaeddodd rhywun. Yna roedd y dyn main yn cael ei wthio 'mlaen i ganol y llawr a phobl yn mynd o'r neilltu i wneud lle iddo.

Rhoddodd y crythor ei hen grwth wrth ei ysgwydd a dechreuodd ganu.

> Pan ddaw mis Mai i'r coed a'r caeau
> I'w gwisgo'n dlws â dail a blodau;
> A phan ddaw'r gog i goed yr Hendre,
> Fe ddaw fy nghariad innau adre.

Roedd ei lais tenor hyfryd yn swnio'n rhyfeddol o dlws yn y stafell fawr. Rywfodd neu'i gilydd hefyd roedd yr hen alaw'n dod â rhyw atgofion trist neu hapus 'nôl i bob un a oedd yn gwrando. Dyna'r cyfaredd a oedd yn perthyn i'r crythor rhyfedd yma.

Pan oedd yn canu, 'Fe ddaw fy nghariad innau adre', meddyliai Ledi Eluned am y nosweithiau unig hynny pan fuodd hi'n disgwyl Twm 'nôl o'i deithiau pell a pheryglus. Cofiodd Arthur Cwmbychan, a oedd yn eistedd yn dynn wrth ymyl ei dad ar waelod y bwrdd, am y tro arall y clywodd y crythor yn canu'r un hen gân. 'Mae mwy o fwyd ar y bwrdd heddiw,' meddyliodd gan hanner gwenu wrtho'i hunan. Yna daeth rhyw dristwch drosto wedyn wrth gofio'r hen wraig wallgof honno oedd neb ddim ar ôl yn y byd ond un hen gist a chrochan.

Meddwl am yr hen sgweier a oedd, pan oedden nhw 'i dau'n ifanc, wedi gofyn iddi fod yn wraig iddo oedd Cati, mam Twm y funud honno. Ond roedd ei dad wedi gwrthod caniatâd iddyn nhw briodi. Ac eto heddiw dyma ei mab hi yn Sgweier y Dolau.

Ac allai Twm feddwl am ddim ond y wraig dlos a oedd yn eistedd yn ei ymyl.